CATHERINE DESCAYRAC

UNE ANNÉE EN FRANCE

Theodore Lownik Library
Illinois Benedictine College
Lisle, Illinois 60532

27 RUE DE LA GLACIÈRE 75013 PARIS
PRÉSENTATION ET VENTE AUX ENSEIGNANTS : 18 RUE MONSIEUR-LE-PRINCE 75006 PARIS

448.6
D445a

PRÉFACE

UN TEMPS DE SAISON

Les sociétés sont tissées de rythmes, scandées par des dates et des attentes, gouvernées par le temps des horloges et par celui qui passe comme un songe. Les saisons de nos vies, faites de travail et de passions, de chagrins qui durent et de rires qui surgissent, nous les retrouvons dans nos souvenirs et dans nos espoirs, elles colorent nos rencontres et nos amours, elles dispensent tout au long de nos jours les petites notes de musique dont nous reconnaissons le refrain, soudain, au détour de la mémoire. Cette danse sociale dans laquelle chacun de nous est emporté, elle ne nous échappe pas pourtant, c'est bien nous qui en marquons le temps, elle est à la fois notre œuvre et notre destin. Rien n'exprime mieux une culture que les rythmes qui lui sont propres. Les temps sociaux et les temps personnels, privés, s'entrelacent comme les danseurs d'autrefois, ceux de la valse et du tango, mais comme ceux d'aujourd'hui aussi parce que danser est toujours une manière de vivre ensemble.

Écouter et regarder la société française à travers ses régularités saisonnières, c'est-à-dire à travers les cadres sociaux de la mémoire, il fallait que cette tâche pédagogique immense soit entreprise un jour par quelqu'un qui possède les vertus apparemment contradictoires de la rigueur et de l'allégresse, de la vision panoramique et de l'observation au plus près du quotidien, du savoir et de l'imaginaire.

L'enseignement d'une civilisation et celui de la langue qui s'y intègre, menés conjointement et sans être mélangés pourtant, lequel d'entre nous n'a rêvé un jour de s'embarquer sur ce chemin didactique ? Pour s'engager, une condition apparaissait comme méthodologiquement impérative : parvenir à « prendre le temps », celui de la classe (« emploi du temps ») et celui de la vie. Prendre le temps au filet pédagogique, au piège des manières de faire la classe, prendre le temps à bras le corps et l'apprivoiser pour le transformer en outil d'enseignement. Catherine Descayrac a eu cette audace, cette patience (« et longueur de temps... ») c'est-à-dire l'ensemble de ces qualités entremêlées qui constituent à elles toutes le métier pédagogique et ses talents.

Des documents, des repères, des index, des images, des cheminements et des propositions d'activités, une organisation claire, un équilibre constant entre le linguistique, l'historique, et le sociologique, telles sont les richesses qu'offre ce livre des quatre saisons d'un apprentissage. A chacun d'entre nous, maintenant, d'en faire un bouquet.

Louis Porcher

© CLE INTERNATIONAL ISBN 2.19-033200-2

JUILLET		
1	D	Thierry
2	L	Martinien
3	M	Thomas
4	M	Florent
5	J	Antoine
6	V	Mariette
7	S	Raoul
8	D	Thibaut
9	L	Amandine
10	M	Ulrich
11	M	Benoît
12	J	Olivier
13	V	Henri, Joël
14	S	FÊTE NATIONALE
15	D	Donald
16	L	N.D. Mt-Carmel
17	M	Charlotte
18	M	Frédéric
19	J	Arsène
20	V	Marina
21	S	Victor
22	D	Marie-Mad.
23	L	Brigitte
24	M	Christine
25	M	Jacques
26	J	Anne, Joa.
27	V	Nathalie
28	S	Samson
29	D	Marthe
30	L	Juliette
31	M	Ignace de L.

AOUT		
1	M	Alphonse
2	J	Julien-Ey.
3	V	Lydie
4	S	J.M. Vianney
5	D	Abel
6	L	Transfiguration
7	M	Gaétan
8	M	Dominique
9	J	Amour
10	V	Laurent
11	S	Claire
12	D	Clarisse
13	L	Hippolyte
14	M	Evrard
15	M	ASSOMPTION
16	J	Armel
17	V	Hyacinthe
18	S	Hélène
19	D	Jean Eudes
20	L	Bernard
21	M	Christophe
22	M	Fabrice
23	J	Rose de L.
24	V	Barthélemy
25	S	Louis
26	D	Natacha
27	L	Monique
28	M	Augustin
29	M	Sabine
30	J	Fiacre
31	V	Aristide

SEPTEMBRE		
1	S	Gilles
2	D	Ingrid
3	L	Grégoire
4	M	Rosalie
5	M	Raïssa
6	J	Bertrand
7	V	Reine
8	S	Nativité N.D.
9	D	Alain
10	L	Inès
11	M	Adelphe
12	M	Apollinaire
13	J	Aimé
14	V	La Ste Croix
15	S	Roland
16	D	Edith
17	L	Renaud
18	M	Nadège
19	M	Emilie
20	J	Davy
21	V	Matthieu
22	S	Maurice
23	D	Automne
24	L	Thècle
25	M	Hermann
26	M	Côme, Dam.
27	J	Vinc. de P.
28	V	Venceslas
29	S	Michel
30	D	Jérôme

OCTOBRE		
1	L	Th. de l'E.J.
2	M	Léger
3	M	Gérard
4	J	Fr. d'Ass.
5	V	Fleur
6	S	Bruno
7	D	Serge
8	L	Pélagie
9	M	Denis
10	M	Ghislain
11	J	Firmin
12	V	Wilfried
13	S	Géraud
14	D	Juste
15	L	Th. d'Avila
16	M	Edwige
17	M	Baudouin
18	J	Luc
19	V	René
20	S	Adeline
21	D	Céline
22	L	Elodie
23	M	Jean de C.
24	M	Florentin
25	J	Crépin
26	V	Dimitri
27	S	Emeline
28	D	Simon, Jude
29	L	Narcisse
30	M	Bienvenue
31	M	Quentin

NOVEMBRE		
1	J	TOUSSAINT
2	V	Défunts
3	S	Hubert
4	D	Charles
5	L	Sylvie
6	M	Bertille
7	M	Carine
8	J	Geoffroy
9	V	Théodore
10	S	Léon
11	D	ARMISTICE 1918
12	L	Christian
13	M	Brice
14	M	Sidoine
15	J	Albert
16	V	Marguerite
17	S	Elisabeth
18	D	Aude
19	L	Tanguy
20	M	Edmond
21	M	Prés. Marie
22	J	Cécile
23	V	Clément
24	S	Flora
25	D	Cather. L.
26	L	Delphine
27	M	Séverin
28	M	Jacq. d.l.M.
29	J	Saturnin
30	V	André

DECEMBRE		
1	S	Florence
2	D	Avent
3	L	Xavier
4	M	Barbara
5	M	Gérald
6	J	Nicolas
7	V	Ambroise
8	S	Im. Concept.
9	D	P. Fourier
10	L	Romaric
11	M	Daniel
12	M	Jeanne F.C.
13	J	Lucie
14	V	Odile
15	S	Ninon
16	D	Alice
17	L	Gaël
18	M	Gatien
19	M	Urbain
20	J	Abraham
21	V	Pierre C.
22	S	Hiver
23	D	Armand
24	L	Adèle
25	M	NOËL
26	M	Etienne
27	J	Jean
28	V	Innocents
29	S	David
30	D	Roger, Ste F.
31	L	Sylvestre

AVANT-PROPOS

INTRODUCTION

Une année en France s'adresse à tous ceux, adolescents ou adultes, qui, après 200 à 300 heures de français, souhaitent poursuivre l'apprentissage de la langue à travers une approche organisée des réalités culturelles françaises.

Le principe d'organisation que nous avons retenu pour cet ouvrage est le **calendrier**. La lecture du sommaire fait apparaître les dates, les moments ou les périodes de l'année qui rythment la vie sociale de la France actuelle et qui déterminent l'organisation annuelle des activités de tous ceux qui vivent en France.

Qui apprend une langue et une culture, aujourd'hui, désire, parce qu'il en ressent le besoin, avoir accès aux productions culturelles et médiatiques : cinéma, presse, chanson, littérature... Il pressent que c'est un moyen efficace et agréable de rentrer dans la complicité qui lie étroitement entre eux les membres du groupe culturel dont il apprend la langue.

Pour comprendre, parler, lire et écrire le français, il doit identifier d'abord, afin de se les approprier peu à peu, une multitude de repères culturels qui jalonnent de façon plus ou moins explicite les discours des locuteurs français.

Une année en France fournit à l'apprenant de nombreux documents qui ont été sélectionnés parce qu'ils portent les **traces de ces repères culturels**.

L'appareil pédagogique qui les accompagne lui donne les moyens de les découvrir et de les comprendre pour les faire siens.

ACTIVITÉS

Chaque page présente une organisation interne en **cinq rubriques :**
— **Entrez dans la page.**
— **Lisez, comprenez.**
— **À vous de dire, à vous de faire. (À vous...)**
— **Sous les mots, la vie.**
— **Savez-vous que...**
Cette organisation répond à une volonté de promouvoir une **démarche pédagogique** qui prenne en compte la **complexité des liens** existant entre le **linguistique** et le **culturel**.

Entrez dans la page permet à l'apprenant d'éviter l'impasse de la lecture linéaire sans **projet de lecture**. Certes, le projet qu'on lui propose a quelque chose d'arbitraire puisqu'il est imposé, mais l'important est qu'il en suscite d'autres, qui seront les siens et surtout qu'il instaure des habitudes de lecture ouverte sur **la recherche du sens**.

Lisez, comprenez entraîne l'apprenant à **une compréhension plus analytique**. Les activités l'amènent à situer le discours en identifiant les traces de l'énonciation *(qui parle ? de quoi ? à qui ? pour quoi ? où ? quand ?)* tout en lui permettant d'élucider, de façon active, les difficultés grammaticales ou lexicales.

À vous de dire, à vous de faire est le moment privilégié de la **production**. Il s'agit de production écrite ou orale, au niveau du son, du mot, de la phrase ou du texte : la **variété** est de rigueur.

Sous les mots, la vie privilégie les connaissances en **civilisation** en aidant l'apprenant à les élargir et en lui proposant un travail de **comparaison interculturelle**.

Savez-vous que... propose au lecteur quelques informations complémentaires sur des pratiques culturelles liées à la période concernée.

À la fin du livre sont regroupés trois types d'outils :
— **les réponses** permettant une utilisation autonome ;
— **les index** pour faciliter une utilisation sélective du contenu ;
— **le lexique** correspondant aux mots soulignés.

OBJECTIFS D'APPRENTISSAGE

Au fil des pages et au fil du temps l'apprenant trouvera de quoi améliorer sa compétence :

— **en lecture :** lecture repérage, lecture globale, lecture analytique, lecture à haute voix... etc.

— **en production orale et écrite :** récits, dialogues, pastiches, commentaires, descriptions, débats, défense d'un point de vue, expression des goûts... etc.

— **en grammaire et en syntaxe :** notamment comparatifs et superlatifs, constructions verbales, indicateurs de temps, accords, modalités appréciatives, nominalisations... etc.

— **en vocabulaire :** l'enrichissement et la précision du vocabulaire font l'objet de nombreuses questions.

— **en phonétique :** par le biais de la lecture à haute voix, des mots-valises, des poèmes, des jeux de mots et de tous les jeux de langage.

Bonne année en France !

Catherine Descayrac.

Je remercie :
— Louis Porcher pour ses conseils et ses encouragements ;
— les étudiants et les enseignants de l'Alliance Française d'Addis-Abeba en Éthiopie qui, par leurs questions et leurs réactions, m'ont, bien des fois, éclairée sur ma propre culture ;
— les amis qui à mon intention ont souvent découpé leurs journaux (favoris ou non).

JANVIER • FÉVRIER

À LA CHANDELEUR, L'HIVER PASSE OU PREND RIGUEUR

MOTS CLÉS

AMOUR
CHAMPAGNE
COURONNE
CRÊPES
ÉTRENNES
FÊTE
FÈVE
FROID
GUI
HIVER
MARDI-GRAS
MASQUES
RÉVEILLON
RÉSOLUTIONS
ROIS
SKI
VŒUX

1. La Madeleine et la rue Royale décorée à l'occasion de Noël.

2. Cette crèche de Noël représente les Rois mages apportant des cadeaux à l'enfant Jésus.

3. Masques de carnaval.

4. Une station de sports d'hiver en Haute-Savoie : Avoriaz.

5. La Saint-Sylvestre à Montmartre : illustration pour une revue de mode, décembre 1923.

6. Un cuisinier, avec sa toque blanche, préparant des crêpes pour le 2 février, jour de la Chandeleur.

DOC. 1

« Le jeu des 7 erreurs »

En recopiant son dessin original, le dessinateur H. Blanc s'est volontairement trompé sept fois. Découvrez, dans le dessin modifié, les sept erreurs.

DESSIN ORIGINAL

DESSIN MODIFIE

■ FRANCE-SOIR 2-1-1962

DOC. 5

INFO...

●●● C'est à minuit, ou à zéro heure, exactement, le 31 décembre que la fête bat son plein.
Dans les maisons, on s'arrête de danser, de manger, pour aller sous la boule de gui s'embrasser et prononcer les vœux traditionnels.

DOC. 2

RÉSOLUTIONS 1987

■ ASTRAPI 1-1-1987

DOC. 3

À Paris, folle nuit des automobilistes : du bruit pour un an.

■ Nuit folle pour la Saint-Sylvestre. De minuit à 2 heures du matin, ce n'était qu'un gigantesque encombrement de l'Opéra à l'Étoile. Paris s'amusait dans le paroxisme et la nervosité.
Celui-ci dans sa M.G. jouait de la trompette. Ceux-là, profitant de la douceur de la nuit surgissaient en hurlant du toit ouvrant de leur voiture...

DOC. 4

AUTOUR DE MINUIT

MERCREDI 31 DÉCEMBRE

La soirée du réveillon

Pour saluer le Nouvel An, ils sont nombreux à rester devant leur poste...

... À minuit, si l'on s'appuie sur les statistiques des années précédentes, quatre millions et demi de personnes s'embrasseront par procuration devant le petit écran...

Des solitaires ? Des malades ? Des marginaux ? Des personnes âgées ? Pas seulement : il y aura aussi tous les déçus d'un réveillon qui foire, tous ceux qui, par principe et volonté de distinction « ne font rien » ce soir-là, tous les jeunes trop jeunes pour aller en « boîte » ou en « boum ».

Pas très gai, tout ça ? J'oubliais les inconditionnels du petit écran, ceux qui ont besoin de leur dose d'images quotidiennes et qui attaqueront leur premier slow un verre de champagne à la main, l'œil rivé sur le téléviseur entouré de guirlandes...

■ LE MONDE RADIO-TV 28, 29-12-1986
DESSIN DE CABU

1. RÉVEILLON

ENTREZ DANS LA PAGE

1. Relisez la liste des mots clés de la page 8. Quels sont ceux qui correspondent aux textes ou aux dessins de la page ci-contre.

LISEZ, COMPRENEZ

2. D'après le contenu de cette page, que font les Français dans la nuit du 31 décembre au 1er janvier ?

3. Lisez le doc. 4.
Relevez huit catégories de personnes qui regardent la télévision pendant la soirée du réveillon.

4. Dans le doc. 2, quels personnages connaissez-vous ? Recherchez-les dans le lexique.

À VOUS...

5. Le doc. 2 est tiré d'un journal pour enfants.
Inspirez-vous de cette bande dessinée pour imaginer des résolutions d'adultes ; choisissez des personnages réels ou imaginaires et... faites preuve d'humour.

6. Décrivez le dessin de Cabu (doc. 4) : personnages et objets.
À votre avis, le dessinateur veut-il encourager les gens à regarder la télévision, le soir du réveillon ? Défendez votre point de vue.

7. Dans le texte du doc. 4, trois mots différents désignent la télévision : lesquels ?

8. Faites le jeu des sept erreurs. Qu'est-ce qu'il y a de comique dans ce dessin ?

SOUS LES MOTS, LA VIE

9. Dans votre pays, quand et comment fête-t-on le premier jour de l'année ?

10. Trouvez les mots qui composent le mot-valise suivant :
Restaulant :
le contraire d'un fast-food.

MOTS SOULIGNÉS : VOIR LEXIQUE

SAVEZ-VOUS QUE...

■ Selon *Le Monde* du 2-4-1990, entre 1973 et 1981, le pourcentage des Français qui déclarent regarder le petit écran plus de 20 heures par semaine est passé de 20 % à 36 %, soit une progression de 80 %.

■ Le titre « Autour de minuit » est celui d'un film de Bertrand Tavernier sorti en 1986.

DOC. 1

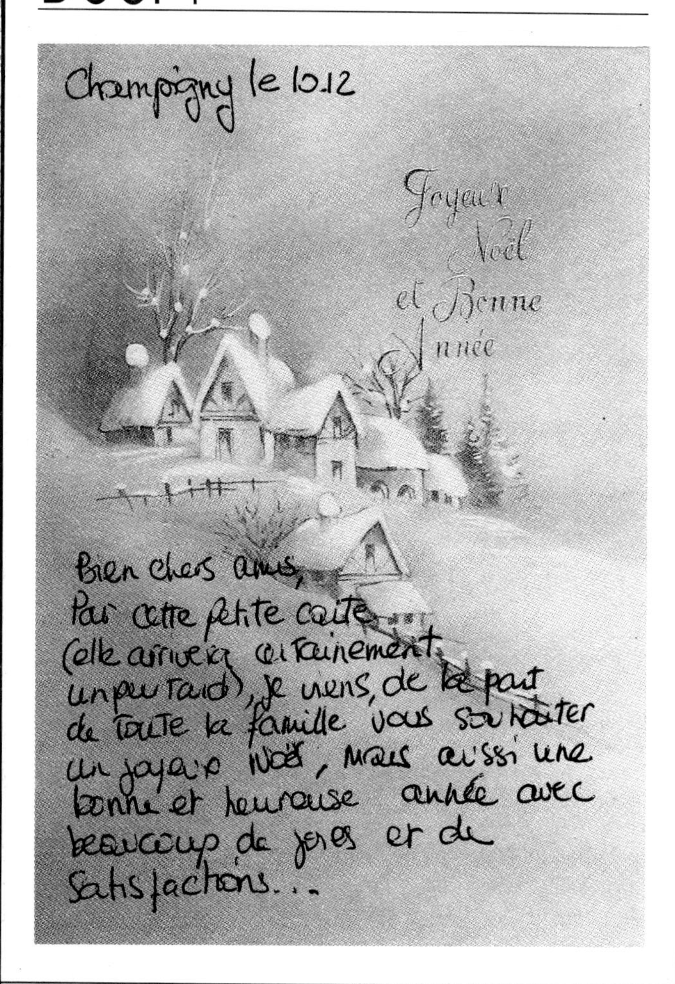

Champigny le 10.12

Joyeux Noël et Bonne Année

Bien chers amis,
Par cette petite carte (elle arrivera certainement un peu tard), je viens, de la part de toute la famille vous souhaiter un joyeux Noël, mais aussi une bonne et heureuse année avec beaucoup de joies et de satisfactions...

DOC. 2

·SANTÉ

SANS T
N'EST PLUS SANTÉ
MAIS SAN É

SAN É
SANS É
N'EST PLUS SANÉ
MAIS SAN

SAN C'EST CENT
DONC C'EST BEAUCOUP
MAIS C'EST RIEN
SANS LA SANTÉ

■ DISTRACTIONNAIRE
CLÉ INTERNATIONAL

DOC. 3

VOS VŒUX SONT LES NÔTRES

■ Les vœux que nous ...... offrons aujourd'hui, c'est ...... qui les avez formulés. Avec le concours du Cires, notre organisme de sondage, nous avons demandé à un échantillon représentatif des Françaises de nous indiquer leurs souhaits les plus chers pour 1987. Histoire de dépoussiérer un peu le trop traditionnel « Bonne année, bonne santé »... mais surtout, le meilleur moyen de faire entendre la voix des femmes, là où elles ont beaucoup à dire.

En pensant à l'année qui vient, quel serait votre vœu le plus cher ?

☐ être invitée pour un voyage surprise	**33 %**
☐ vous réveiller chaque jour de bonne humeur	30 %
☐ devenir la n° 1 dans votre <u>job</u>	11 %
☐ recevoir un superbe bijou-surprise de la part de l'homme que vous aimez	10 %
☐ aller passer huit jours avec mère <u>Térésa</u> pour soigner les malades	9 %
☐ passer un week-end dans un palace avec une star célèbre	3 %
☐ ne se prononcent pas	4 %

En pensant à l'année qui vient, qu'est-ce qui vous fait le plus peur ?

☐ tomber malade	**35 %**
☐ vous retrouver seule et vous ennuyer à mourir	15 %
☐ être victime d'un attentat	15 %
☐ vous retrouver au chômage	14 %
☐ avoir un accident de voiture	13 %
☐ être cambriolée	2 %
☐ ne se prononcent pas	6 %

Quel vœu formulez-vous à l'intention de l'humanité tout entière ?

☐ que plus un seul enfant ne meure de faim	**34 %**
☐ que chacun regarde son voisin avec moins d'indifférence	28 %
☐ qu'on trouve un remède efficace pour guérir le cancer et le <u>sida</u>	16 %
☐ que le terrorisme prenne fin	12 %
☐ que la drogue et ses ravages disparaissent	8 %
☐ ne se prononcent pas	2 %

Sondage exclusif Cires pour Marie-France.
Enquête réalisée du 20 au 29 octobre 1986 auprès d'un échantillon représentatif de 667 femmes âgées de 18 à 60 ans et plus. Méthode des quotas (sexe, âge, <u>CSP</u>, région.)

■ MARIE-FRANCE JANVIER 1987

2. BONNE ANNÉE

ENTREZ DANS LA PAGE

1. Relevez des formules de vœux traditionnelles.

2. Le thème de la santé est absent d'un seul document ; lequel ?

LISEZ, COMPRENEZ

3. Choisissez le mot le plus juste pour nommer chaque document :
a) questionnaire ; b) lettre ;
c) poème ; d) sondage ; e) carte de vœux.

4. Lisez le doc. 3, extrait du magazine « Marie-France ».
a) Comprenez le titre :
« Vos vœux sont les nôtres » : qui parle ? à qui ?

b) Complétez par des pronoms la première ligne du document.

À VOUS...

5. Faites correspondre chacune des formules ci-dessous à une situation :
1. Bon anniversaire
2. Bon séjour
3. Bon courage
4. Bonne chance
5. Bon voyage
6. Meilleure santé
7. Bonne fête
8. Bonne soirée
9. Bon appétit
10. Bonne route

a) à table, au début du repas
b) à quelqu'un qui est malade
c) à quelqu'un qui part pour un mois
d) à quelqu'un, le jour de ses vingt ans
e) à quelqu'un qui va traverser le désert
f) à quelqu'un qui ne part pas en vacances pour finir un travail difficile
g) à quelqu'un que vous quittez sur le quai de la gare
h) à quelqu'un qui va dîner chez des amis
i) le 16 janvier, à quelqu'un qui s'appelle Marcel
j) à quelqu'un qui part en voyage, en voiture

6. Lisez **à haute voix** le doc. 2.
À quelle formule de vœux vous fait-il penser ?

SOUS LES MOTS, LA VIE

7. Qui sont les personnes ayant répondu à ce sondage ?
Parmi les vœux exprimés, lequel vous étonne
☐ le plus ? ☐ le moins ?

8. À votre avis, dans votre pays, les réponses seraient-elles
☐ plutôt semblables ? ☐ plutôt différentes ?

MOTS SOULIGNÉS : VOIR LEXIQUE

SAVEZ-VOUS QUE...

■ Les échanges de vœux de Nouvel An sont admis jusqu'à la fin du mois de janvier.

■ Janvier c'est aussi le **Paris-Dakar**, un rallye auto-moto devenu depuis plusieurs années un grand événement médiatique.

■ Janvier c'est aussi la période des **soldes** : les vêtements d'hiver sont vendus à prix réduit... pendant que les couturiers présentent les collections d'été de la **haute couture**.

DOC. 1

— *C'est pas la peine d'être roi si je ne peux pas manger les parts de mes petits frères !...*

■ LE PARISIEN 6-1-1956 DESSIN DE POL FERJAC

DOC. 4

INFO...

••• Dans la tradition catholique, **la Chandeleur** fête la Vierge ; peut-être en souvenir du temps où, quelques semaines après la naissance d'un enfant, on fêtait sa mère.

Cependant, c'est plutôt un rite du feu qui semble être à l'origine du nom de cette fête car, ce jour-là, les femmes allumaient des chandelles ou des cierges pour protéger la maison de la foudre et des incendies.

Aujourd'hui, le nom est resté, mais la tradition a changé. À la maison, on fait des crêpes, ces galettes souples, fines, odorantes et savoureuses que tout le monde apprécie. Mais, attention ! le jour de la Chandeleur, pas question de retourner la crêpe avec un ustensile de cuisine : pour respecter la tradition, on doit la faire sauter en l'air d'un habile « coup de poêle ».

DOC. 2

INFO...

••• Ils sont bien loin les temps bibliques où trois rois d'Arabie, Melchior, Balthazar et Gaspar marchèrent vers l'Enfant Jésus, guidés par une étoile mystérieuse, pour lui offrir leurs présents d'or, d'encens et de myrrhe.
Et pourtant, la tradition de **l'Épiphanie**, le 6 janvier, s'est maintenue sous la forme d'une galette partagée en famille ou entre amis.
Les boulangers et les pâtissiers la vendent... bien, si l'on en juge par leurs vitrines qui en sont remplies dès le 2 janvier !
La galette des rois a ceci de particulier qu'elle cache dans sa pâte « la fève » et qu'elle est toujours vendue accompagnée d'une couronne en papier doré.
On tire les rois !
Celui ou celle qui trouve la fève dans sa part de galette est sacré(e) roi ou reine de la fête ; il ou elle coiffe la couronne, choisit sa reine (ou son roi) et l'on boit à la santé du couple royal d'un instant.

DOC. 3

Aujourd'hui : les premières crêpes de l'année

— *Encore un nouveau chapeau ?...*

■ LE PARISIEN 2-2-1962 DESSIN DE GRUM

3.

CRÊPES ET ROIS

ENTREZ DANS LA PAGE

1. Quel dessin illustre quelle fête ? Quelles sont les dates de ces fêtes ?

LISEZ, COMPRENEZ

2. Qui sont les rois évoqués par la tradition de l'**Épiphanie** ?

3. Observez le dessin humoristique illustrant l'Épiphanie.
Qui a trouvé la fève ?
Qu'est-ce qu'il a sur la tête ?
Que dit-il ?
Qu'en pensez-vous ?

À VOUS...

4. « ... les crêpes **fines, odorantes,** et **savoureuses** »
Reliez, d'après leur sens, les mots des deux séries ci-dessous :
a) fine ; b) odorante ; c) savoureuse.
1) goût ; 2) forme ; 3) odeur.
Décrivez en quelques mots un aliment traditionnel
☐ de la cuisine française
☐ de la cuisine de votre pays.

SOUS LES MOTS, LA VIE

5. Les deux traditions présentées dans cette page sont moins vivantes de nos jours qu'autrefois.
Cependant, la galette des rois reste plus présente dans la vie de tous les Français que les crêpes de la Chandeleur ; peut-être tout simplement parce que la galette est dans toutes les vitrines des boulangers pendant deux ou trois semaines... c'est devenu une affaire commerciale.
Qu'en pensez-vous ?

6. Y a-t-il dans votre pays des traditions qui semblent se maintenir par la grâce du commerce.
Qu'en pensez-vous ?

MOTS SOULIGNÉS : VOIR LEXIQUE

SAVEZ-VOUS QUE...

■ Janvier c'est aussi le **mois du blanc.**
Les Français achètent du linge de maison (draps, serviettes, nappes, etc.) qui autrefois étaient blancs.

■ Janvier c'est aussi la fin des vacances scolaires de Noël et, statistiquement, le mois **le plus froid** de l'année.

■ La dernière semaine du mois est consacrée au **festival de la bande dessinée** à Angoulême.

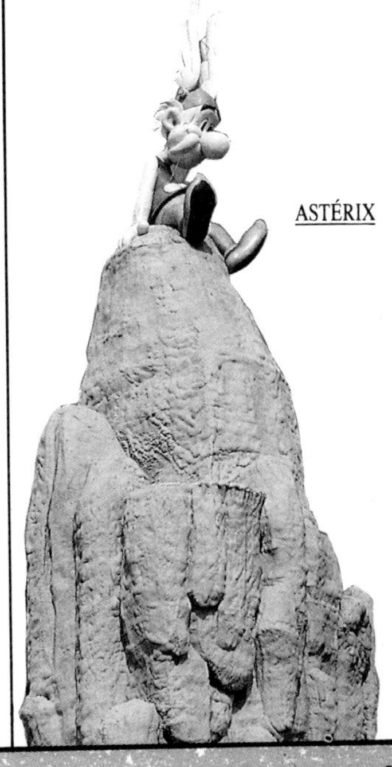

ASTÉRIX

DOC. 1

■ Sous son déguisement, le maître n'est pas plus respectable que son serviteur, le carnaval est avant tout le plaisir d'être autre.

DOC. 2

CARNAVAL

■ Païennes autant que **religieuses**, les fêtes du carnaval sont les plus **extraverties.** Toutes les **libertés** sont enfin permises... à condition d'être **masqué**.
Il fait rire, danser, éclater la joie et la liberté, parfois même l'imagination, sur tous les horizons du monde. Fête chrétienne parce que greffée sur les jours qui précèdent le Carême ? peut-être pas. Toutes les civilisations ont connu de telles manifestations. Les saturnales dans la Rome antique étaient des jours de libation au cours desquels régnait la plus grande liberté. Dans tout le monde païen, le retour du printemps annoncé par l'équinoxe, ce moment où les jours et les nuits sont de la même durée, a toujours provoqué la joie.
... Car le grand art du carnaval est la dissimulation. Dans la mascarade l'homme trouve la liberté, derrière le masque il échappe à lui-même.

■ FEMME D'AUJOURD'HUI 16-2-1985

DOC. 3

AVORIAZ

■ **15ᵉ Festival du Film fantastique. Du 17 au 24 janvier.**
Des frissons sur la neige. Le Festival international du film fantastique qui a lieu chaque année à Avoriaz est devenu, en à peine quinze ans, une véritable institution.
Office du tourisme, tél. : 50 74 02 11.

DOC. 4

Mme Y :
...
M. X :
« Avoriaz ? Fantastique ! »
Mme Y :
« Vous parlez des pistes ou du festival ? »

■ LE MATIN 31-1-1987

DOC. 5

INFO...

••• La période de Carnaval commence à l'Épiphanie et se termine le Mardi-gras qui est le dernier jour avant le Carême ; celui-ci couvre les 46 jours précédant Pâques.

••• Avec **Mardi gras**, on entre dans la zone de l'année où les fêtes bougent selon la date de Pâques. Mardi gras se situe, selon les années, entre le 3 février et le 9 mars.

••• C'est aussi la période des vacances d'hiver : par exemple, en 1991, les dates en sont du 14 février au 4 mars.

DOC. 6

VACANCES D'HIVER

Ensemble de la population	Taux de départ (en %)	
	vacances d'hiver	dont sports d'hiver
Hiver 1974-1975	17,1	4,3
Hiver 1977-1978	20,6	6,6
Hiver 1980-1981	23,8	7,9
Hiver 1984-1985	24,9	8,8
Commune de résidence (1984-1985)		
Commune rurale	16,1	5,8
Ville de Paris	55,5	14,1

a) Les vacances d'hiver sont encore un phénomène minoritaire et sélectif.
b) Les Français sont de plus en plus nombreux à partir en vacances d'hiver, même si tous ne se dirigent pas vers les pistes enneigées.
c) Les ouvriers et les agriculteurs restent pour la plupart très peu concernés par ce phénomène. Peut-être le seront-ils demain.
d) Un tiers seulement de ceux qui partent en vacances d'hiver les passent à la montagne.

■ FRANCOSCOPIE 1987

4. FAITS D'HIVER

ENTREZ DANS LA PAGE

1. Le titre de cette page est un jeu de mots.
Trouvez-le et vous obtiendrez le nom d'une rubrique de journal.

2. Quels sont les deux thèmes de cette page ?
Est-ce qu'ils correspondent à des dates fixes du calendrier ?

LISEZ, COMPRENEZ

3. Dans le premier paragraphe du doc. 2, cinq mots sont en caractères gras.
Cherchez dans les textes ce qui en reprend et en développe le sens.

4. Lisez les commentaires a, b, c, d, du doc. 6 et trouvez dans le tableau les chiffres qui leur correspondent.

5. Il y a deux raisons très différentes d'aller à Avoriaz en hiver ; quelles sont-elles ?

À VOUS...

6. Doc. 4. Les paroles de M. X ne peuvent être le début d'un dialogue ; pour quelle raison ?
Imaginez ce que Mme Y. a dit auparavant.

SOUS LES MOTS, LA VIE

7. L'hémisphère Nord connaît deux équinoxes par an ;
de quoi s'agit-il ?

8. Carnaval est-il fêté dans votre pays ?
De quelle façon ?
Sinon, y a-t-il une autre tradition du masque ?
Parlez-en.

MOTS SOULIGNÉS : VOIR LEXIQUE

SAVEZ-VOUS QUE...

■ Le nom du mois de février vient du latin « februare » qui signifie « purifier ». Février était le dernier mois du **calendrier romain**, celui des fêtes de purification.

■ Il peut faire encore **très froid**, en février ; c'est le mois des grippes et des coups de cafard.

DOC. 1

Amoureux en fête

■ On s'offre des fleurs et, si l'on est loin, on s'envoie des cartes pour démentir le proverbial « loin des yeux, loin du cœur » ; on s'offre des petits dîners en tête-à-tête chez soi ou au restaurant, on échange des cadeaux ; petits ou gros ; ce jour-là plus que n'importe quel autre, c'est le geste qui compte. Alors les fleuristes annoncent partout : **dites-le avec des fleurs.**

■ REFLET N° 21

DOC. 2

La nuit
S'achève
et Gui
Poursuit
Son rêve
Où tout
Est Lou
On est en guerre
Mais Gui
N'y pense guère.
La nuit
S'étoile et la paille se dore :
Il songe à Celle qu'il adore.

■ GUILLAUME APOLLINAIRE

DOC. 3

■ LE BARON NOIR TOME 3 GOT ET PÉTILLON

DOC. 4

14 FÉVRIER C'EST LA SAINT-VALENTIN

■ Guy Breton, auteur de « L'Histoire de l'amour à travers les âges »

1 — Ce rite de la Saint-Valentin est attesté dès le quatorzième siècle en Angleterre les Anglais s'étaient aperçus qu'à ce moment du mois de février les oiseaux s'accouplaient de là à penser que c'était une sorte de saison des amours il y avait qu'un pas et ils l'ont franchi aisément et ils ont pensé que c'était peut-être le moment aussi de célébrer les amours entre les messieurs et les dames ça a été le début de ce qu'on a appelé le valentinage mais c'était un rite purement anglais or vous savez que le poète français Charles d'Orléans a été fait prisonnier et il est resté je crois vingt-cinq ans prisonnier en Angleterre et il a été très séduit par le rite du valentinage et quand il a été libéré quand il est rentré en France et bien il a parlé de cette coutume et cette coutume est devenue une coutume française alors pendant des années pendant des siècles même en France il y a eu ce valentinage on faisait des cadeaux au valentin et à la valentine et puis c'était une sorte de contrat pendant une année le valentin ou la valentine était considéré comme un ou une fiancée le valentin était tenu pendant toute cette année à ne danser dans les bals qu'avec sa valentine sans quoi il l'aurait en quelque sorte trompée n'est-ce pas et ça se terminait très souvent par un mariage et puis un beau jour ce rite est tombé en désuétude et on l'a totalement oublié.

■ REFLET N° 21

DOC. 5

5. LA SAINT-VALENTIN

ENTREZ DANS LA PAGE

1. Plusieurs de ces documents n'ont pas été écrits ou dessinés à l'occasion de la Saint-Valentin ; lesquels ?

LISEZ, COMPRENEZ

2. En quoi consiste la tradition actuelle de la Saint-Valentin ?

3. Lisez **à haute voix** le poème d'amour.
Trouvez dans le poème le nom de l'homme et celui de la femme qu'il aime.

4. Le doc. 4 est difficile à lire car c'est la transcription d'un enregistrement ; c'est donc du français parlé.
Comprenez l'essentiel en répondant aux questions suivantes :
a) de quel pays vient la tradition de fêter la saison des amours et les amoureux ?
b) comment s'appelait cette tradition ?
c) qui l'a fait connaître aux Français ?
d) en France, est-ce que la tradition consistait seulement à offrir des cadeaux à son (sa) Valentin(e) ?

À VOUS...

5. Dans le doc. 4, comptez les « et ».
Peu d'entre eux sont nécessaires au sens ; lesquels ?

6. À partir de la ligne 19 du doc. 4 (... vous savez...), faites les changements nécessaires pour rendre le texte acceptable à l'écrit : évitez les répétitions et mettez la ponctuation.

SOUS LES MOTS, LA VIE

7. À quel autre document pouvez-vous associer la bande dessinée ? Pour quelles raisons ?

8. Y a-t-il dans votre pays une fête comparable à celle-ci ?
Laquelle ?
Quelle en est la tradition ?

9. Trouvez les mots qui composent les mots-valises suivants :
armoure :
ensemble de défenses qui protègent l'individu de la douleur d'aimer.
sentimenteur :
personne hypocrite qui dit « je t'aime » sans y penser.

MOTS SOULIGNÉS : VOIR LEXIQUE

SAVEZ-VOUS QUE...

■ Février c'est aussi le début du **Tournoi des Cinq Nations** où s'affrontent les équipes de **rugby** d'Angleterre, d'Écosse, d'Irlande, de France et du Pays de Galles. Il dure jusqu'à fin mars.

S. BLANCO

MARS • AVRIL

EN AVRIL, NE TE DÉCOUVRE PAS D'UN FIL; EN MAI, FAIS CE QU'IL TE PLAÎT

MOTS CLÉS

AGNEAU PASCAL
CLOCHES
FARCES
FLEURS
GIBOULÉES
IMPERMÉABLE
JONQUILLES
LAPIN
LUNDI DE PÂQUES
ŒUF
POISSON
PRINTEMPS
RENOUVEAU
RIRE
VACANCES DE PRINTEMPS

1

1. Le pays d'Auge, région de Normandie renommée pour ses fromages (camembert, livarot, pont-l'évêque).

2. Une carte postale du 1er avril, datant du début du XXe siècle.

3. Le clocher de l'église Saint-Jean (XIVe siècle) à Troyes.

4. Les jonquilles, fleurs des prairies, annoncent le printemps.

5. À l'occasion de Pâques, on offre des œufs en chocolat ou en sucre.

DOC. 1

Chacun voit Pâques à sa date... sauf cette année

Un phénomène qui ne se reproduira pas...... 1990

■ Strasbourg (correspondance)

Pâques .... 19 avril. Banal ? Pas tout à fait. Et même tout à fait exceptionnel. En effet, ... 19 avril, toutes les confessions chrétiennes ont fêté Pâques le .... jour. Un événement qui ne se répétera plus qu'une seule fois d'......... l'......... 2000, le 15 avril 1990. Pour les autres années, se retrouvera l'éternel clivage entre religions occidentales (catholiques et protestantes) et chrétiens de tradition orientale...

... un décalage qui peut atteindre 5 semaines et placer les Pâques orthodoxes en plein mois de mai, comme ce fut le cas en 1986, année où les religions occidentales fêtèrent Pâques, le 30 mars, et les orthodoxes le 4 mai. Du coup, la date commune qui prévaut cette année, le 19 avril, reste une exception au désordre habituel.

MICHEL SOUSSE

■ LIBÉRATION 2-4-1987

DOC. 2

INFO...

••• **La fête de Pâques** a été fixée par le concile de Nicée (325) au premier dimanche après la pleine lune qui a lieu soit le jour de l'équinoxe de printemps (21 mars), soit aussitôt après cette date. Pâques est donc au plus tôt le 22 mars. Si la pleine lune tombe le 20 mars, la suivante sera le 18 avril (29 jours après). Si ce jour est un dimanche, Pâques sera le 25 avril. Ainsi, la fête de Pâques oscille entre le 22 mars et le 25 avril, et de sa date dépendent celles de toutes les autres fêtes mobiles.

••• **Les Rameaux,** 7 jours avant Pâques.

••• **L'Ascension,** 40 jours après Pâques.

••• **La Pentecôte,** 10 jours après l'Ascension.

■ LAROUSSE ILLUSTRÉ

DOC. 3

LES RELIGIONS DANS LE MONDE

Nombre en 1986-1987 (en millions)

Agnostiques et athées. 600.
Animistes. Environ 200. Afrique 130, Asie 60, Amérique du Sud et Antilles 4, Océanie 1.

Bouddhistes. 305. Asie 304. Europe 0,2. Amérique du Nord 0,3, Amérique du Sud 0,2, Océanie 0,02, Afrique (Maurice) 0,01.

Chrétiens. 1 572 (32,8 % de la population mondiale). Répartis en 3 grands rameaux :
— Catholiques : 905, dont Amérique du Nord 422,7, Europe 278, Asie 72, Afrique 72,7, Océanie 6,4.
— Orthodoxes : 183 (dont 48 probables en U.R.S.S.) ; Europe 43,4, Afrique (dont Égypte, Éthiopie) 6,7, Amérique du Nord 5,3, Asie (dont Inde) 2,8, Océanie 0,4, Amérique du Sud 0,3.
— Protestants : 484 dont Europe 108,8, Amérique du Nord 113,7, Afrique 82,8, Asie 45,3, Océanie 13,1, Amérique du Sud 10.
Confucianistes. 314. Nombre : Asie 313. Amérique du Nord 0,1, du Sud 0,05, Europe 0,4, Afrique (84) 0,003, Océanie (84) 0,01...
Hindouistes. 463,8. Asie 461,3, Amérique du Sud 0,6, Afrique 0,8, Océanie 0,3, Europe 0,3, Amérique du Nord 0,3.
Juifs. 16,9. Amérique du Nord 7,6, Asie 4,4, Europe 3,8, Amérique du Sud 0,7, Afrique 0,2, Océanie 0,07.
Musulmans (mahométans). 851. Asie 381,7, Afrique 150,3 (surtout Afrique du Nord et Nigeria), Europe 20,4, Amérique du Sud 0,3, Amérique du Nord 1,8, Océanie 0,8.

■ QUID 1989

DOC. 4

Chacun veut voir midi à sa porte au lieu de prendre en compte l'ensemble des contraintes.

DOC. 5

INFO...

••• **La France c'est :**
45 504 000 catholiques baptisés dont 8 800 000 pratiquants, 2 500 000 musulmans, 950 000 protestants, 550 à 750 000 juifs, 60 bouddhistes tibétains.

■ QUID 1989

1. C'EST QUAND, PÂQUES ?

ENTREZ DANS LA PAGE

1. Pâques est une date importante pour l'organisation de l'année en France : pour quelle raison ?

LISEZ, COMPRENEZ

2. Dans le sous-titre et le premier paragraphe du doc. 1, six petits mots ont été effacés ; retrouvez-les.

3. Dans le titre du doc. 1, vous lisez « ... sauf **cette** année ». De quelle année s'agit-il ?

4. En quoi l'année 1990 est-elle exceptionnelle par rapport aux années 1988 à 2000 ?

5. Quel rapport voyez-vous entre :
a) le titre du doc. 1 et le petit texte du doc. 4 ?
b) la photo et le texte du doc. 4 ?

À VOUS...

6. Dans les doc. 3 et 5 cherchez les informations qui vous intéressent le plus puis commentez-les en utilisant des comparatifs et des superlatifs.

SOUS LES MOTS, LA VIE

7. En France, les fêtes religieuses marquées par des jours de congés sont toutes des fêtes catholiques, et pourtant tous les Français ne sont pas catholiques... (doc. 5). Comparez cette situation avec celle de votre pays.

MOTS SOULIGNÉS : VOIR LEXIQUE

SAVEZ-VOUS QUE...

■ Une semaine avant Pâques c'est le dimanche des **Rameaux**.

■ Ce même dimanche est celui du **Prix du Président de la République**, sur l'hippodrome d'Auteuil, à Paris : manifestations sportives ou mondaines pour quelques-uns, **les courses de chevaux** sont avant tout, pour un grand nombre de gens, l'occasion de **jouer au Tiercé**.
C'est un jeu d'argent très populaire : le **P.M.U.** (Pari Mutuel Urbain), légalisé en 1930, a totalisé en 1986 huit millions de parieurs.

■ La tradition des Rameaux veut que l'on mette dans la maison et dans les champs, des rameaux ou des branches bénis, afin d'être protégé des catastrophes.

DOC. 1

TOUT CHOCOLAT : ŒUFS, POULES, CLOCHES, POISSONS, ET LIÈVRES

■ **C'est une véritable basse-cour en chocolat qui éclot chaque printemps dans les vitrines des confiseurs.**

Après Noël et le Jour de l'An, voici un deuxième alibi pour déguster, avec modération s'il vous plaît, sa chaude saveur. Pleine de phosphore, de magnésium, de fer, de vitamines...

Le bon chocolat est un bienfait, un réconfort ! Nourriture des dieux pour les Aztèques, l'empereur Moctezuma le buvait en aphrodisiaque. Le léger euphorisant qu'il contient et son petit pourcentage d'excitant — théobromine et caféine — expliquent sans doute son délicieux **goût de péché.**

C'est en **1615** que le chocolat apparut en France, amené par la fiancée de Louis XIII, Anne d'Autriche, qui en raffolait. La France sut vite apprécier cette douceur venue du **Mexique.**

Mais revenons à notre couvée en chocolat... L'œuf est bien sûr un symbole évident de **fécondité.** Les rois de France recevaient chaque année le plus gros œuf pondu dans le royaume. Les parrains et marraines à leur tour donnaient des œufs à leurs filleuls. Un peu plus tard, dans les villages, les enfants se mirent à « quêter » les œufs aux portes des maisons. Puis les parents cachèrent les œufs dans les fourrés, et les petits enfants allaient les chercher le jour de Pâques.

Les cloches sont une tradition plus récente. Ce sont celles de Rome qui viennent apporter les œufs aux enfants.

Très présent dans les vitrines printanières, **le poisson** pour les chrétiens symbolise le Christ. Mais il évoque aussi l'ancien mythe païen de la déesse-mère de l'eau, la sirène en quelque sorte.

DOC. 2

■ TINTIN 31-3-1987

Le lièvre de Pâques est lui totalement païen. Dès l'Antiquité, le lapin est considéré comme symbole de fécondité en raison de son abondante progéniture ! En Alsace c'est lui qui pond les œufs décorés dans des nids confectionnés par les parents !

Et pour nous, citadins, les traditions se perpétuent dans les vitrines des meilleurs confiseurs offertes à la gourmandise des petits et des grands !

■ PARIS-SERVICES 26-4-1987

2. DES ŒUFS ET DES CLOCHES

ENTREZ DANS LA PAGE

1. Tous les animaux dessinés dans cette page sont mentionnés dans le doc. 1 sauf un : lequel ?
Cet animal fait pourtant partie de la tradition de Pâques ; retrouvez son nom parmi les mots clés de la page 20 et dans le lexique.

LISEZ, COMPRENEZ

2. Observez le doc. 2, ce dessin vous fait-il sourire ? pourquoi ?
☐ que représente l'objet central ?
☐ un objet insolite s'est glissé parmi les cloches, lequel ?
☐ trouvez-vous les cloches de ce dessin plutôt sympathiques ou plutôt antipathiques ?
pour quelles raisons ?

3. Quelles informations vous donne le doc. 1 sur l'histoire du chocolat et sur ses propriétés ?

4. Dans l'histoire de la tradition de Pâques, les enfants ont toujours reçu des œufs ; de qui ?

À VOUS...

5. Voici 14 mots extraits du doc. 1 : chocolat, confiseur, couvée, déguster, éclore, fécondité, goût, lièvre, nourriture, œuf, pondre, progéniture, saveur.
Faites-en deux groupes distincts en continuant les deux listes ci-dessous :
a) 1. chocolat 2. déguster...
b) 1. couvée 2. fécondité...

SOUS LES MOTS, LA VIE

6. Les cloches des églises ont longtemps rythmé la vie quotidienne des Français, surtout à la campagne et lorsque la religion avait encore une influence importante.
De nos jours, et particulièrement en ville, d'autres bruits ont leur importance.

Et pour vous ? Y a-t-il des bruits qui rythment votre vie quotidienne ? Parlez-en.

MOTS SOULIGNÉS : VOIR LEXIQUE

SAVEZ-VOUS QUE...

■ Au mois de mars il pleut souvent, par averses soudaines ; on parle des **giboulées de mars**.

■ L'on chante « Le parapluie » de **Georges Brassens**.

DOC. 1

COQUILLES

■ **Une dépêche estropiée de l'Agence France-Presse et son rectificatif non moins malheureux constituent un des classiques de la « coquille »...**

■ Annonçant la disparition du chef d'État yougoslave, le 4 mai 1980, l'AFP fait paraître sur ses télex l'information : *« Le maréchal Titi est mort »*. Bévue monumentale. Le « correctif » ne tarde guère : *« Rectifier ainsi notre urgent daté de Belgrade : le maréchal Toto est mort »*.

■ « Du côté occidental, les cinq personnes libérées sont le couple Karl et Hana Köcher. » *Le Monde*, 13 février 1986.

■ « Augmentation en baisse des impôts locaux. »
Titre du quotidien *Le Provençal*, 30 mars 1986.

■ « Dans la nuit du samedi 19 mars au dimanche de Pâques 30 mars, nous avancerons nos pendules d'une heure car nous passons à l'heure d'été
Le Journal d'Elbeuf, 28 mars 1986.

■ « Surpris alors qu'il venait de retirer de l'argent dans un distributeur automatique de l'avenue Foch à Marseille, un homme a été attaqué puis délesté sous la menace de plusieurs billets de banque. »
La Marseillaise, 1er mars 1986.

■ Manchette énorme d'une des éditions du quotidien *L'Aurore* du 28 septembre 1978, relative au décès de Jean-Paul Ier : « Le Pope est mart ».

■ « Plusieurs pompiers venus lutter contre le ministre ont dû être hospitalisés. »
Le Matin, 30 juin 1986.

■ REFLET N° 19

DOC. 2

Teindre et décorer ses œufs soi-même

■ C'est par gourmandise qu'on achète les œufs en chocolat. Mais pour décorer la maison, rien ne vaut ceux qui ont été faits par les membres de la famille. Petits ou grands...

Décorer et peindre

a) puis de souffler vigoureusement par l'une des extrémités pour vider la coquille,

b) On peut bien sûr décorer des œufs durs,

c) Pour y parvenir,

d) d'enfoncer une tige fine dans l'un des trous pour remuer le contenu,

e) c'est bon pour la santé !

f) il suffit de percer un petit trou à l'aide d'une épingle à chaque bout de l'œuf,

g) mais il est plus facile de vider des œufs frais.

h) ou bien carrément gober l'œuf à fond, lorsqu'il est frais,

■ PARIS-SERVICES 3-5-1987

DESSIN J. CRISCI

3. COQUILLES, COQUILLES

ENTREZ DANS LA PAGE

1. Dans quel document est-il question de coquilles d'œufs ?

2. Voici une liste de journaux français ;
cochez ceux qui sont mentionnés dans cette page.
Le Figaro
France-Soir
Libération
La Marseillaise
Ouest-France
Le Matin
Le Monde
Le Provençal
Le Quotidien de Paris

LISEZ, COMPRENEZ

3. Remettez dans l'ordre le texte du doc. 2.
N'oubliez pas que les majuscules et la ponctuation peuvent aussi vous aider.

4. Lisez le doc. 1 puis trouvez les six coquilles dans les six textes.
Voici quelques conseils qui vous aideront :
☐ essayez de changer une lettre d'un mot,
☐ ou bien d'ajouter des virgules,
☐ et surtout aidez-vous du sens.

À VOUS...

5. Entre la prononciation de « peindre » et « teindre », un seul son est différent.
Trouvez d'autres couples de mots français qui ont cette particularité.
Exemple : « rare » et « barre ».

SOUS LES MOTS, LA VIE

6. Une coquille est, par définition, involontaire, elle provoque chez le lecteur la surprise, l'inattendu.
Remarquez que la surprise et l'inattendu sont aussi caractéristiques de la poésie.

Lisez **à haute voix** ces quelques vers de Robert Desnos :

« La boule rouge roule et bouge »
et
« Vos bouches mentent,
Vos mensonges sentent la menthe
Amantes »

MOTS SOULIGNÉS : VOIR LEXIQUE

SAVEZ-VOUS QUE...

■ Le mois de mars ne comporte généralement **aucun jour férié**, sauf lorsque Pâques est très précoce.

■ Selon *Le Monde* du 1-4-1990, la proportion de Français qui lisent un quotidien tous les jours est passé de 55 % à 43 % entre 1973 et 1988.

■ L'on vote beaucoup en mars.
En effet, depuis le début de la Ve République (1958), une année sur deux, en moyenne, a vu se dérouler **une élection** législative, municipale ou cantonale.

DOC. 1

BOUCHONS DE PÂQUES

■ **La circulation sera difficile sur les principaux axes de province samedi.**

... **Dans le Centre,** les encombrements devraient apparaître dès 8 heures, puis quelques heures plus tard en direction de l'Ouest et du Sud. Ces difficultés persisteront tout l'après-midi dans le massif alpin et dans la vallée du Rhône.

L'Ile de France devrait par contre connaître moins de difficultés samedi. Les embouteillages apparaîtront aux environs de 8 heures et atteindront leur maximum en fin de matinée pour se résorber en début d'après-midi.

■ LIBÉRATION
29 et 30-3-1986

DOC. 2

■ LIBÉRATION 28-3-1986

DOC. 3

A Pâques il n'y a que les cloches qui payent cher leur week-end.

Hertz

Forfait 4 jours : du vendredi 17 avril à 14 h au mardi 21 avril 10 h. 1 400 km inclus.
Tarif valable également les week-ends du 1er, 2, 3 mai et du 8, 9, 10 mai. Réservation : 47 88 51 51.

HERTZ. LA VOITURE PAS L'AVENTURE.

Hertz loue des Ford et d'autres grandes marques.

4. WEEK-END DE PÂQUES

ENTREZ DANS LA PAGE

1. Remarquez la date de parution dans la presse des documents 1 et 3 puis recherchez dans le lexique culturel la date de Pâques en 1986 et 1987.

LISEZ, COMPRENEZ

2. Deux éléments de la tradition de Pâques sont présents dans le document 3.
L'un est nommé dans le texte : de quoi s'agit-il ?
L'autre est évoqué par le ruban : de quoi s'agit-il ?

3. Lisez le slogan : « ... les cloches payent cher leur week-end ».
En recherchant le sens familier de « cloche », trouvez et expliquez le jeu de mots.

4. Parmi ces trois arguments publicitaires, lequel n'est pas utilisé dans le doc. 3 ?
a) le sérieux de la société,
b) le faible prix de la location,
c) la beauté des voitures.

À VOUS...

5. Lisez **à haute voix** le deuxième slogan « la voiture, pas l'aventure ». Lorsque vous prononcez « la voiture » puis « l'aventure », quel est l'unique son qui change ?
Imaginez ou retrouvez dans des publicités un slogan utilisant le même procédé.

6. Les textes de cette page contiennent de nombreux indicateurs de temps ; complétez-en la liste :
☐ A Pâques... (doc. 3),
☐ ... tout l'après-midi... (doc. 1),
☐ ...

7. Ces quatre verbes :
a) persister,
b) se résorber,
c) apparaître,
d) atteindre son maximum,
se trouvent dans le doc. 1.
D'après leur sens, placez-les selon le schéma ci-dessous.

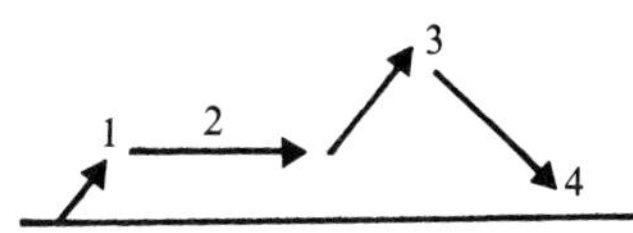

SOUS LES MOTS, LA VIE

8. Le tirage du Loto est hebdomadaire.
D'après le doc. 2, pouvez-vous dire quel jour de la semaine il a lieu ?

9. Imaginez une publicité pour des voitures de location qui paraîtrait dans la presse juste avant le jour de l'an ou juste avant la Saint-Valentin.

MOTS SOULIGNÉS : VOIR LEXIQUE

SAVEZ-VOUS QUE...

■ Le 20 ou 21 mars, c'est **l'équinoxe** de printemps. La durée du jour est égale à celle de la nuit.

■ **Charles Trénet** a composé une chanson qui célèbre le printemps :
« Y a d'la joie ! »

DOC. 1

A.

Bar - Tabac - Loto
G. PERDU

B.

Dans une banque de Charleroi, une caméra de surveillance a été volée !

C.

DATE LIMITE DE VENTE
31 FEV. 81

D.

A nos annonceurs !
le 52.14.14 remplace le 52.14.14

E.

Vends chaise électrique pour invalide.
(Le Midi Libre, 20 juin 1973)

F.

Interdire l'autoroute du Sud pour y supprimer les bouchons

G.

R. LOUCHEZ
OPTICIEN

DOC. 2

■ Le 1er avril, les enfants découpent des poissons dans du papier et les accrochent dans le dos des gens.
Lorsque la « victime » découvre la plaisanterie, les enfants s'écrient en riant « *Poisson d'avril* ».

DOC. 3

POISSON D'AVRIL

1 Il était un petit poisson
Qui naquit le premier avril

Jamais personne, paraît-il,
Ne le regarda sans sourire.

5 Il avait beau dire et redire
Qu'il était vraiment un poisson,

Jamais personne, paraît-il,
Ne crut un mot de ses discours.

Et le petit poisson, un jour,
10 Regarda le ciel bleu d'avril

Et se mit à rêver tout haut
Qu'il était un petit oiseau.

JEAN-LOUIS VANHAM
■ © Éd. Gallimard

Street Reclaimers

How to join a movement to reclaim our streets

LATE NEWS:

As this book goes to press, David Engwicht and other residents in Brisbane, Australia have formed the first chapter of ***Street Reclaimers***.

The members of ***Street Reclaimers*** have made two commitments:

1. To reduce their own car use to a minimum and, when driving, to act as a guest in other people's neighborhoods

2. To put their own time, money and resources into psychologically and physically reclaiming streets.

David Engwicht hopes that similar chapters of ***Street Reclaimers*** will start all over the world. Each chapter will contain a small number of dedicated people willing to reclaim our public realm. This may involve organizing street celebrations and festivals or creating permanent facilities that will improve the social, cultural and economic life of the neighborhood — seating, banners, drinking fountains, art, sculptures, etc.

Chapters will act independently but may come together for some joint activities. Chapters will be encouraged to solicit new members but to split into two separate chapters when they reach about sixteen members.

David Engwicht explained that the catalyst for forming ***Street Reclaimers*** was a proposal by Brisbane City Council to widen an arterial through his neighborhood. "Arterials in 'modern cities' are more often than not the only true urban spaces we have — a vibrant mix of homes, workplaces, schools, shops, socializing spaces and cultural facilities. Widening these roads does not just impact on the people who lose their home or business. It does violence to the quality of life of the entire community. While residents can work together in reclaiming their home street by becoming *Treaty Streets*, there is also a burning need to reclaim our arterials and wider public domain. That will be the role of ***Street Reclaimers***."

Street Reclaimers Chapters and ***Traffic Reduction Treaty Streets*** which register will have their details recorded on ***www.lesstraffic.com***. This web site will be dedicated to networking and sharing ideas.

David Engwicht Communications
PO Box 12816
San Luis Obispo, CA 93406
USA

www.lesstraffic.com

To register your ***Street Reclaimers Chapter*** or your street as a ***Traffic Reduction Treaty Street*** visit www.lesstraffic.com or send the following information to David Engwicht Communications:

- Whether you are registering a *Street Reclaimers Chapter* or *Treaty Street*

- A primary and secondary contact person with address, phone number and email address.

- The suburb, city, state and country in which your *Street Reclaimers Chapter* or *Treaty Street* is located.

- If registering a *Treaty Street*, the area covered by the Treaty (e.g. Betty Street between the cross streets George and Brown).

New Society Publishers' mission
is to publish books that contribute in fundamental ways
to building an ecologically sustainable and just society,
and to do so with the least possible impact on the environment
in a manner that models that vision.

If you have enjoyed *Street Reclaiming*,
you may also want to check out our other titles
in the following categories:

Ecological Design & Planning
Environment & Justice
New Forestry
Accountable Economics
Conscientious Commerce
Resistance & Community
Progressive Leadership
Educational & Parenting Resources

For a full list of NSP's titles,
please call 1-800-567-6772,
or check out our web site at:
www.newsociety.com

NEW SOCIETY PUBLISHERS

SOMMAIRE

La « Grande Arche », située dans le quartier de la Défense, à l'ouest de Paris, est une des grandes réalisations architecturales des années quatre-vingt. Pour compléter vos connaissances, reportez-vous au mot Architecture dans le lexique page 89.

En plus des dimanches, il y a en France 11 jours fériés : trouvez-les.

Recherchez la date du début de chaque saison dans ce calendrier de l'année 1990.

Lisez le sommaire page 3. À combien de titres pouvez-vous faire correspondre une date du calendrier ?

Vous connaissez des Français ; recherchez leur prénom et la date de leur fête.

JANVIER		
1	L	JOUR DE L'AN
2	M	Basile
3	M	Geneviève
4	J	Odilon
5	V	Edouard
6	S	Mélaine
7	D	Epiphanie
8	L	Lucien Bapt. J-C
9	M	Alix
10	M	Guillaume
11	J	Paulin
12	V	Tatiana
13	S	Yvette
14	D	Nina
15	L	Rémi
16	M	Marcel
17	M	Roseline
18	J	Prisca
19	V	Marius
20	S	Sébastien
21	D	Agnès
22	L	Vincent
23	M	Barnard
24	M	Fr. de Sales
25	J	Conv. S. Paul
26	V	Paule
27	S	Angèle
28	D	Th. d'Aquin
29	L	Gildas
30	M	Martine
31	M	Marcelle

FEVRIER		
1	J	Ella
2	V	Présentation
3	S	Blaise
4	D	Véronique
5	L	Agathe
6	M	Gaston
7	M	Eugénie
8	J	Jacqueline
9	V	Apolline
10	S	Arnaud
11	D	N.-D. Lourdes
12	L	Félix
13	M	Béatrice
14	M	Valentin
15	J	Claude
16	V	Julienne
17	S	Alexis
18	D	Bernadette
19	L	Gabin
20	M	Aimée
21	M	P. Damien
22	J	Isabelle
23	V	Lazare
24	S	Modeste
25	D	Roméo
26	L	Nestor
27	M	Mardi gras
28	M	Cendres

MARS		
1	J	Aubin
2	V	Charles le B.
3	S	Guénolé
4	D	Carême
5	L	Olive
6	M	Colette
7	M	Félicité
8	J	Jean de D.
9	V	Françoise
10	S	Vivien
11	D	Rosine
12	L	Justine
13	M	Rodrigue
14	M	Mathilde
15	J	Louise de M.
16	V	Bénédicte
17	S	Patrice
18	D	Cyrille
19	L	Joseph
20	M	Printemps
21	M	Clémence
22	J	Léa
23	V	Victorien
24	S	Cath. de Su.
25	D	Annonciation
26	L	Larissa
27	M	Habib
28	M	Gontran
29	J	Gwladys
30	V	Amédée
31	S	Benjamin

AVRIL		
1	D	Hugues
2	L	Sandrine
3	M	Richard
4	M	Isidore
5	J	Irène
6	V	Marcellin
7	S	J.-B. de la S.
8	D	Rameaux
9	L	Gautier
10	M	Fulbert
11	M	Stanislas
12	J	Jules
13	V	Ida
14	S	Maxime
15	D	PÂQUES
16	L	Benoît-J.
17	M	Anicet
18	M	Parfait
19	J	Emma
20	V	Odette
21	S	Anselme
22	D	Alexandre
23	L	Georges
24	M	Fidèle
25	M	Marc
26	J	Alida
27	V	Zita
28	S	Valérie
29	D	Souv. Déportés
30	L	Robert

MAI		
1	M	F. DU TRAVAIL
2	M	Boris
3	J	Phil./Jacq.
4	V	Sylvain
5	S	Judith
6	D	Prudence
7	L	Gisèle
8	M	VICTOIRE 45
9	M	Pacôme
10	J	Solange
11	V	Estelle
12	S	Achille
13	D	F. J.-d'Arc
14	L	Matthias
15	M	Denise
16	M	Honoré
17	J	Pascal
18	V	Eric
19	S	Yves
20	D	Bernardin
21	L	Constantin
22	M	Emile
23	M	Didier
24	J	ASCENSION
25	V	Sophie
26	S	Bérenger
27	D	F. des Mères
28	L	Germain
29	M	Aymard
30	M	Ferdinand
31	J	Visitation

JUIN		
1	V	Justin
2	S	Blandine
3	D	PENTECÔTE
4	L	Clotilde
5	M	Igor
6	M	Norbert
7	J	Gilbert
8	V	Médard
9	S	Diane
10	D	Landry, Trinité
11	L	Barnabé
12	M	Guy
13	M	Antoine de P.
14	J	Elisée
15	V	Germaine
16	S	J.F. Régis
17	D	F. Dieu, F. des Pères
18	L	Léonce
19	M	Romuald
20	M	Silvère
21	J	Eté
22	V	Alban, s.c.
23	S	Audrey
24	D	Jean-Baptiste
25	L	Prosper
26	M	Anthelme
27	M	Fernand
28	J	Irénée
29	V	Pierre/Paul
30	S	Martial

5.

POISSON D'AVRIL

ENTREZ DANS LA PAGE

1. Certains documents vous font-ils sourire ? Pourquoi ?

LISEZ, COMPRENEZ

2. Doc. 2. Les enfants ont ajouté une deuxième plaisanterie au traditionnel poisson.
Pour la comprendre, cherchez dans le lexique les deux sens du mot « ligne ».

3. Dans le doc. 1, identifiez :

A. les petites annonces,
B. les titres d'articles de journaux,
C. les enseignes de magasins,
D. les annonces publicitaires,
E. les étiquettes.
Attention, ce ne sont pas des « poissons d'avril » !

À VOUS...

4. Lisez le doc. 3. Imaginez un autre animal malheureux, puis en complétant les vers ci-dessous, faites un autre poème.

Il était un (une)......
Qui......
Jamais personne......
......
Il (elle) avait beau......
......
Jamais personne......
......
Et le (la)......, un jour
Regarda......
Et se mit à rêver tout haut
Qu'il (elle) était un (une) ......

SOUS LES MOTS, LA VIE

5. Entre adultes également, les plaisanteries du 1er avril sont fréquentes : fausses informations, faux rendez-vous, etc.
Imaginez des « poissons d'avril » à faire entre étudiants, entre collègues ou entre amis.

6. Dans votre culture, y a-t-il un jour réservé aux plaisanteries ou à une autre forme d'humour ?
Lequel ?
Quelle en est la coutume ?

7. Trouvez les mots qui composent le mot-valise :
monumensonge :
canular, plaisanterie énorme.

MOTS SOULIGNÉS : VOIR LEXIQUE

SAVEZ-VOUS QUE...

■ La pêche en première catégorie (truites...) est autorisée du 3 mars au 19 septembre.

■ Le **poisson** était le symbole du Christ dans l'Eglise primitive.

MAI • JUIN

S'IL PLEUT À LA SAINT-MÉDARD, IL PLEUVRA QUARANTE JOURS PLUS TARD

MOTS CLÉS

BEAUX JOURS
CANNES
CINÉMA
EXAMENS
FEUX DE LA SAINT-JEAN
FLEURS
HEURE D'ÉTÉ
LONG WEEK-END
MARIE
MÈRES
MUGUET
MUSIQUE
PÈRES
PONTS
SPORTS
TRAC

1. Un champ de coquelicots dans le sud-est de la France, en Provence.

2. Le défilé du 1er Mai, de la place de la République à la place de la Bastille, à Paris.

3. Un groupe de musiciens pendant la fête de la Musique le 21 juin au Champ-de-Mars, à Paris.

4. Chaque année, se déroule la célèbre course automobile des Vingt-Quatre Heures du Mans.

5. Le festival du cinéma à Cannes.

6. Henri Leconte montre sa satisfaction à la fin d'un jeu.

DOC. 1

Joli mai !

■ En 1989, le 1er Mai, fête du travail était un lundi ; le 8 Mai, fête de la Victoire de 1945 aussi ; l'Ascension, le jeudi 4 mai et le lundi de Pentecôte, le 15 mai : soit un pont et trois longs week-ends en l'espace de deux semaines !
... au moment où les jours allongent d'autant plus qu'on passe à l'heure d'été... Quel joli mois de mai !

DOC. 1

■ Le muguet du 1er Mai, en brin modeste ou en bouquet favorise le bonheur, c'est bien connu. Alors n'oubliez pas de l'offrir à vos proches.

Le saviez-vous ? Il semble bien que la tradition de la cueillette de ces délicates clochettes ait débuté en Ile-de-France, à Rambouillet, à Meudon et dans les bois de Chaville...

En tout cas, c'est le 30 avril 1947 que ce jour férié obligatoire fut décrété fête du Travail.

■ PARIS-SERVICES 3-5-1987

DOC. 3

DURES JOURNÉES POUR LES AUTOMOBILISTES DE PENTECÔTE

■ ... 6 millions de personnes sont attendues sur les routes de France à l'occasion de ce week-end prolongé, traditionnellement le plus encombré du printemps et aussi l'un des plus meurtriers.

■ LIBÉRATION 16-5-1986

DOC. 4

1886 MUGUET ROUGE SANG À CHICAGO

■ Il y a un siècle, 350 000 travailleurs américains entamaient une grève qui fut brutalement réprimée. Trois ans plus tard, à Paris, les délégués de la IIe Internationale choisissaient cette date pour exiger que la journée de travail soit réduite à huit heures.

■ LIBÉRATION 30-4-1986

DOC. 5

MANIF...

■ PARIS 15 H 30 :
Une belle manifestation, dans une ambiance de fête populaire, avec soleil, ballons et odeurs de merguez : le parcours de la C.G.T. Bastille-Richelieu-Drouot a fait recette.
Selon les habitués, il y avait autant de monde que l'an dernier, 15 à 20 000 personnes en tout, 50 000 selon la C.G.T.

... On marche en bavardant, les gosses et les chiens sont de la partie, tandis que les sonos s'égosillent à répéter que *« non, non, non, la crise n'est pas fatale »*, et qu'*« il faut lutter »*...

... Plus que dans les slogans *« pour l'emploi, pour la défense du pouvoir d'achat, rassemblons-nous et luttons »*. *« Dégelons les salaires »*, la foule se délecte d'être ensemble. *« On voit qu'on n'est pas seul, ça encourage. »*...

■ LIBÉRATION 2-5-1986

DOC. 6

COMMENT PRENDRE LE PONT DU 8 MAI 1987

■ Demain 8 Mai, commémoration de la capitulation de 1945, est un jour férié en France. Voici la liste des services ouverts ou fermés pendant ce long week-end.

■ **Caisses d'allocations maladies** et d'assurances sociales : les services recevront le public jusqu'à jeudi 15 heures. Réouverture aux heures habituelles le lundi 11 mai.

■ **Banques :** tous les établissements bancaires seront fermés le vendredi 8 mai. Le samedi, certains établissements habituellement ouverts recevront le public, comme le Crédit agricole mutuel de l'Ile-de-France.

■ **Caisses d'épargne :** fermées le 8 mai. Ouvertes le samedi à leurs heures d'ouverture habituelles.

■ **RATP :** Services des dimanches et jours fériés.

■ **Grands magasins** parisiens : ouverts vendredi aux heures habituelles, sauf le Bon Marché qui n'ouvrira qu'à 10 h 30. Les grands magasins seront normalement ouverts le samedi 9 mai.

■ **Presse :** les journaux paraîtront normalement le 8 mai.

■ **Bourse :** fermée le vendredi.

■ **Musées :** la plupart des musées parisiens seront ouverts.

■ LIBÉRATION 7-5-1987

MAI 1987		
LUNDI		4
MARDI		5
MERCREDI		6
JEUDI		7
VENDREDI	1	8
SAMEDI	2	9
DIMANCHE	3	10

1. JOLI MAI !

ENTREZ DANS LA PAGE

1. Quelles sont les deux traditions du 1er Mai ?

2. Lisez le doc. 1.
Parmi les nombreux jours fériés du mois de mai, quels sont ceux qui correspondent à une fête fixe ?
A une fête mobile ?
Consultez un calendrier de cette année et comparez à 1989.

3. Dans cette page une seule fête du mois de mai n'est pas présentée par un document spécifique ; laquelle ?

LISEZ, COMPRENEZ

4. Lisez le doc. 4.
Quelle est la couleur du muguet ?
Alors, comment s'explique le titre de l'article ?

5. Au début du doc. 5, le journaliste parle d'une « ambiance de fête populaire ».
Relevez dans la suite de l'article, tout ce qui justifie cette formule.

6. Quelle est la réputation du week-end de Pentecôte ?

A VOUS...

7. Dans le doc. 5, une seule phrase, en italique et entre guillemets, n'est pas un slogan :
Laquelle ? Pourquoi ?

8. Le doc. 3 de la page 28 est une publicité dont le slogan évoque la tradition de Pâques.
Imaginez un slogan publicitaire adapté à l'une des traditions du 1er Mai.

SOUS LES MOTS, LA VIE

9. Connaissez-vous tous les services cités dans le doc. 6.
Consultez le lexique.
Quels sont les employés qui ont eu, à l'occasion du pont du 8 Mai 1987, le congé le plus court ? le plus long ?

10. Connaissez-vous des objets ou des actions considérés en France :
☐ comme des porte-malheur ?
☐ comme des porte-bonheur ?
Dans votre culture, il en existe certainement aussi ; parlez-en.

MOTS SOULIGNÉS : VOIR LEXIQUE

SAVEZ-VOUS QUE...

■ Depuis 1976, un matin de printemps, on passe à **l'heure d'été :** les Français avancent leur montre d'une heure. Attention aux rendez-vous manqués !
Ce changement d'horaire a pour but d'économiser l'énergie.

■ **Le Marathon de Paris** réunit plusieurs milliers de personnes pour une course à travers la capitale.

DOC. 1

BONNE FÊTE MAMAN !

■ Malgré ceux qui déplorent son exploitation commerciale, la fête des Mères (le 27 mai, cette année) est devenue une institution. Dans un sondage effectué par notre confrère le « Figaro Madame », il apparaît que 87 % des foyers français la célèbrent et que 83 % se déclarent très attachés à cet événement. Parmi les mots qui viennent à l'esprit quand on pense à sa mère, on cite en priorité la tendresse, l'amour, le bonheur. Et toujours dans la même enquête, 86 % des personnes interrogées estiment qu'il est souhaitable — voire indispensable — pour une femme d'avoir des enfants. Laissez-vous donc fêter de bonne grâce le 27. Les occasions de manifester ses sentiments ne sont pas si nombreuses !

■ MARIE-FRANCE MAI 1986

DOC. 2

INFO...

••• D'après les statistiques, les Français se marient peu au mois de mai. Par contre, depuis deux ou trois décennies, c'est le mois où l'on enregistre le plus grand nombre de naissances ! Bizarre, non !
Il s'agit pourtant d'une simple coïncidence car ce phénomène ne s'observait pas encore, en 1950, lorsque la fête des Mères fut fixée au dernier dimanche de mai.

DOC. 3

31 MAI

FÊTE DES MÈRES

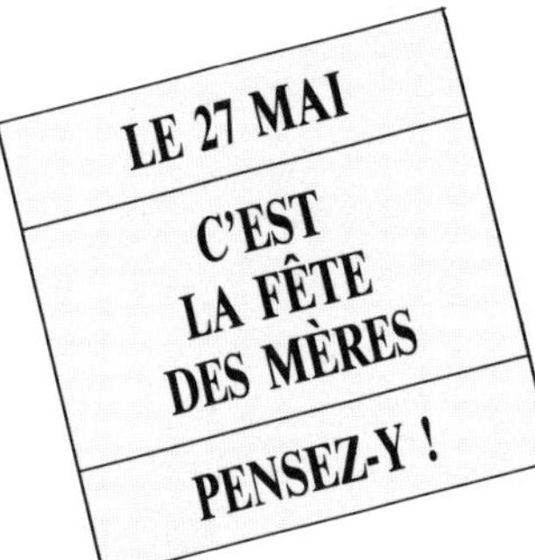

DOC. 4

FÊTE DES MÈRES

Yves Navarre

« Je reviendrai ». Un mot laissé sur la table de la cuisine. Ni reproche, ni regret, encore moins de préméditation. Vendredi matin, Claire Brévaille, 46 ans et trois enfants indépendants, s'échappe à Paris. « Une affaire entre elle et elle-même ». Déterminée et pourtant vulnérable, tout à coup libre mais perdue, elle erre à sa propre recherche...

... Seule, elle fête ses retrouvailles.
... Cette « petite dame de grande banlieue » reprend le chemin de sa vie au soir de la fête des Mères. Ils sont tous là. (Albin Michel) B.L.

■ COSMOPOLITAN JUIN 1987

DOC. 5

■ ELLE 1-6-1987

2. LA FÊTE DES MÈRES

ENTREZ DANS LA PAGE

1. La fête des Mères ajoute-t-elle un jour férié au mois de mai ?

2. S'agit-il d'une fête fixe
☐ du point de vue de la date ?
☐ du point de vue du jour de la semaine ?

LISEZ, COMPRENEZ

3. Trouvez le mot juste pour nommer chaque document. (*Cf.* exercice page 13).

4. Observez et lisez les documents 4 et 5.
Qui est Claire Brévaille ?

5. Dans le doc. 1, soulignez les verbes utilisés par la journaliste pour montrer que les idées ne sont pas forcément les siennes mais celles des personnes interrogées lors du sondage.

À VOUS...

6. Imaginez Claire Brévaille : faites son portrait physique et psychologique, imaginez sa vie jusqu'à 46 ans, son emploi du temps entre son départ, le vendredi matin, et son retour le dimanche de la fête des Mères... etc.

7. Relisez le doc. 1 et imaginez les questions qui ont été posées.

SOUS LES MOTS, LA VIE

8. « Laissez-vous fêter de bonne grâce. »
A qui s'adresse cette phrase ?
(Qui est « vous » ?)
Quelle information vous donne-t-elle sur la nature du public du magazine « Marie-France » ?

9. Relisez la première phrase du doc. 1.
Que regrettent certaines personnes à propos de la fête des Mères ?
Qu'en pensez-vous ?

10. Quel document vous incite le plus à lire le livre : le doc. 4 ou le doc. 5 ?

MOTS SOULIGNÉS : VOIR LEXIQUE

SAVEZ-VOUS QUE...

■ L'on chante « J'aime Paris au mois de mai » de **Charles Aznavour**.

■ **Mai 68**, période d'agitation sociale née en milieu étudiant, a marqué une génération et reste un repère important pour comprendre l'évolution sociale et politique de la France moderne. Daniel Cohn-Bendit a été une des figures importantes du mouvement de Mai 1968.

DOC. 1

Festival de Cannes

■ Dès que revient le joli mois de mai, la télévision, les radios et la presse se ruent sur les bords de la <u>Riviera</u> pour éplucher le menu du festival de Cannes par le menu...

... Voir cinq ou six films par jour pour être sûr de ne rien manquer d'important, c'est épuisant. On court, on s'énerve, on rencontre trop de gens. On ne trouve le repos que dans la solitude de sa chambrette d'hôtel (ou de sa suite royale, selon sa situation dans l'échelle sociale). Il est tard, il faut dormir, ou écrire, ou téléphoner, ou préparer le marathon du lendemain, un lendemain lourd d'autres films, d'autres rencontres, d'autres courses aux trésors.

Le festival de Cannes stresse. Parlez-moi d'une séance de cinématographe normale dans une salle confortable qui joue le film qu'on a vraiment envie de voir.

Gilbert Salachas

■ PHOSPHORE MAI 1987

DOC. 2

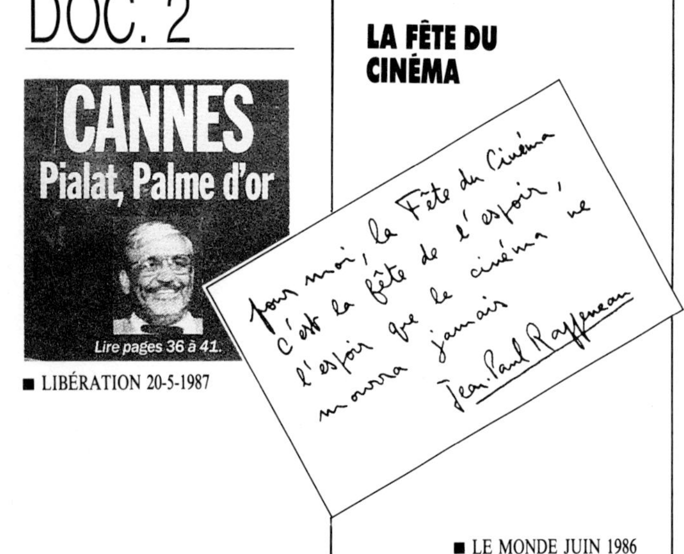

■ LIBÉRATION 20-5-1987

DOC. 3

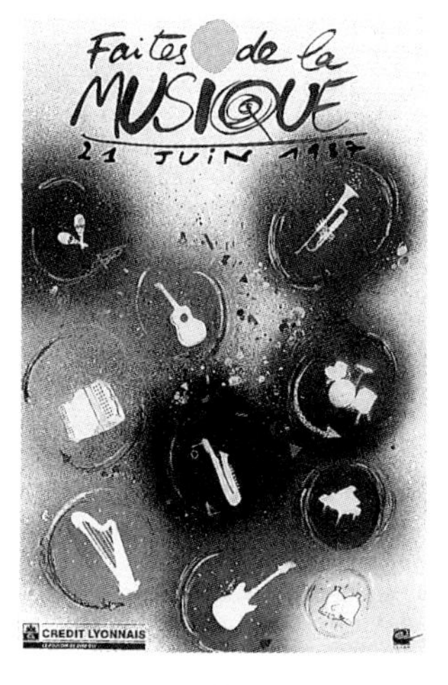

Les clés du succès

1 Qu'il pleuve ou pas, on espère 12 millions de Français le 21 juin pour célébrer la fête de la Musique. L'an dernier, n'étaient-ils pas 10 millions à se presser, malgré les orages, au pied des kiosques et des podiums ?
5 Quatre ans ont suffi à la fête de la Musique pour s'imposer comme une grande manifestation populaire. En ce premier jour de l'été, on joue, on chante et on danse partout. Pas seulement à Paris, ... 200 concerts auront lieu. Pas seulement dans le théâtre antique de Nîmes, où 4 000 enfants
10 vont chanter. Pas seulement ...... les rues de Toulouse, où défileront de vraies écoles de samba. On jouera aussi ...... prisons et dans les hôpitaux. On swinguera dans les gares, les cathédrales et même ...... les mines (comme à Merle-
14 bach, en Lorraine).

■ LE POINT 1986

DOC. 4

LA FÊTE DU CINÉMA

■ LE MONDE JUIN 1986

DOC. 5

4 JUIN : LE CINÉMA FAIT LA FÊTE

■ Retenez la date : 4 juin 1987. C'est un jeudi. En vous y prenant bien, vous pourrez voir cinq films pour le prix d'un. C'est la Journée nationale du cinéma. La fête ! Pratiquement, vous entrez dans un cinéma et achetez un billet. Il est valable pour les séances de 16 heures, 18 heures, 20 heures et 22 heures dans les autres cinémas qui participent à la fête.

■ PHOSPHORE JUIN 1987

DOC. 6

L'ÉTRANGER EN BREF

Si le 21 juin a toujours été la date du solstice d'été dans l'hémisphère Nord, ce n'est que depuis 1982 qu'elle est aussi celle de la fête de la Musique en France.

■ Rapidement, cette idée s'est répandue ...... toute l'Europe et, dès 1985, l'Espagne, l'Angleterre, l'Italie et la Grèce célèbrent la musique à la même date. Aujourd'hui, c'est ...... monde entier que les musiciens envahissent la ville.

...... **Buenos Aires,** chorales et fanfares remonteront la Calle Florida (<u>Champs-Élysées</u> ...... Buenos Aires). Mais cela risque d'être la seule activité en plein air, vu les risques de mauvais temps, le 21 étant le premier jour de l'hiver là-bas.

...... **Canada,** ...... Vancouver, c'est surtout la musique classique qui est à l'honneur grâce à l'orchestre symphonique de la ville.

...... **Hongrie,** le ministère de la Culture a déclaré cette journée « fête officielle de la musique ». Depuis 10 heures ce matin, tous les lieux publics de Budapest sont ouverts à tous et l'improvisation est à l'honneur.

Dubaï, ... les Émirats Arabes, est aujourd'hui le carrefour des musiques orientales et européennes. Ce sont les étudiants et les enfants qui, sous l'impulsion de l'Alliance française, assureront la majorité des festivités.

...... **Athènes,** enfin, c'est tout le pays cette année qui fête la musique et pas seulement la capitale ; le rock est très présent.

■ LIBÉRATION 21-6-1986

3. CINÉ-MUSIQUE

ENTREZ DANS LA PAGE

1. Sur les trois manifestations présentées dans cette page, combien concernent la musique ? Combien concernent le cinéma ?

2. Quelles en sont les dates ? Sont-elles signalées dans le calendrier ?

LISEZ, COMPRENEZ

3. Depuis quand la fête de la Musique existe-t-elle
☐ en France ? ☐ à l'étranger ?

4. Dites en quoi consiste concrètement la fête du Cinéma.

5. A la lecture de son article, pouvez-vous deviner pour quelles raisons G. Salachas assiste au Festival de Cannes ?

☐ Parce qu'il est amateur de cinéma (cinéphile) ?
☐ Parce qu'il est acteur ?
☐ Parce qu'il est journaliste ?

À VOUS...

6. Comparez le texte des deux affiches annonçant la fête du 21 juin.
Expliquez le jeu de mots.
Essayez de le traduire dans votre langue.

7. Dans les doc. 3 et 6, remplissez les blancs.

8. Relisez le doc. 3.
Cet article a-t-il été écrit avant ou après le 21 juin 1986 ? Qu'est-ce qui vous l'indique ?
Faites correspondre les textes précédés d'une lettre et ceux précédés d'un chiffre.
Exemple : d) correspond à 4).
a) (ligne 2)... le 21 juin...
b) (ligne 3) L'an dernier...
c) (ligne 5) Quatre ans ont suffi...
d) (ligne 7)... on joue...

1) Le 21 juin 1985.
2) La période allant de 1982 à 1986.
3) Le 21 juin 1986.
4) Tous les 21 juin depuis 1982.

SOUS LES MOTS, LA VIE

9. Dans votre culture, quelle place occupe la musique ?
Qui en fait ? où et quand ?

10. Dans ces dix dernières années, un metteur en scène de votre nationalité a-t-il obtenu la Palme d'Or du Festival de Cannes ?
Recherchez Pialat dans le lexique.

11. Faites un petit sondage.
Demandez autour de vous que l'on vous cite trois acteurs ou actrices français.

12. Trouvez les mots qui composent le mot-valise :
Cinémaboul :
personne qui passe son temps dans les salles de cinéma.

MOTS SOULIGNÉS : VOIR LEXIQUE

SAVEZ-VOUS QUE...

■ Mai, c'est aussi la finale de la **Coupe de France** de football au Parc des Princes.

J.-P. PAPIN

DOC. 1

ROLAND-GARROS

■ Tout est bon pour y assister. Un homme s'est présenté l'an dernier en caleçon de bain, l'air très sérieux : « Laissez-moi entrer, j'ai oublié mon pantalon sur les gradins du central. » D'autres se déguisent en boucher, en livreur, ou passent la nuit dans les poubelles pour être finalement éjectés à l'aube. Déjà en 1932 n'entrait pas qui voulait : on a refoulé un fou qui prétendait en avoir le droit parce qu'il s'appelait Dwight F. Davis, inventeur de la Coupe Davis. Rien n'y fit. Pourtant, c'était lui.

■ COSMOPOLITAN SEPTEMBRE 1987

DOC. 2

LE SCORE DE ROLAND-GARROS

■ Les Internationaux de France de Roland-Garros sont l'événement sportif pour lequel les Français se passionnent le plus (20 %) devant le Tour de France cycliste (19 %), Paris-Dakar (18 %), la finale de la Coupe de France de football (16 %). Si l'on en croit une enquête réalisée pour *Tennis de France*.

■ L'ÉQUIPE MAGAZINE 30-5-1987

DOC. 3

NOAH

■ Quand il a joué pour la première fois à Roland-Garros, Yannick Noah avait 14 ans. En 1983, il remportait la victoire.
Il a souvent parlé de son trac auquel il est très sensible. Après un match à Roland-Garros il saute dans sa voiture, seul, et il fait cinquante kilomètres pour rentrer chez lui. Il tremble encore en arrivant, il écoute un peu de musique pour se calmer.
Il ne parle pas, il a peur, il pense au prochain match. Pendant la quinzaine de Roland-Garros, il est hypersensible, les moindres paroles l'irritent.

DOC. 4

LE TRAC DU BAC

a) ...... « Plus la date fatidique approchait, plus je m'endormais difficilement. Il m'arrivait de me réveiller en pleine nuit et de me mettre à pleurer, avec toujours cette maudite boule dans le ventre. »

b) ...... « Avant chaque épreuve j'avais un gros nœud dans la gorge mais j'ai eu de la chance car il se dénouait dès que je m'étais lancée dans l'exercice. »

c) ...... « Si vous voulez maigrir passez le bac ! J'ai perdu trois kilos. »

d) ...... « La nuit, c'était horrible. Je me voyais devant une superbe copie mais rien d'écrit dessus ou alors mon stylo-plume tombait en panne ou se cassait et évidemment je n'en avais pas d'autre. »

e) ...... À ma grande surprise, j'ai vécu l'approche de l'examen de manière reposée. Moi qui suis plutôt du genre nerveux et anxieux, j'en étais la première étonnée ! J'étais radicalement dans un état second. »

f) ...... « Le matin, malgré la chaleur je claquais des dents et tremblais, c'était incroyable. »

■ PHOSPHORE MAI 1987

DOC. 5

La folie des examens

■ DESSIN DE WOLINSKI

4. PANIQUE ET TRAC

ENTREZ DANS LA PAGE

1. A quel(s) document(s) le titre de cette page convient-il :
☐ le mieux ?
☐ le moins bien ?

LISEZ, COMPRENEZ

2. Comparez les documents 1 et 2. Sont-ils plutôt :
☐ complémentaires ?
☐ sans rapports ?
☐ contradictoires ?

3. Chaque témoignage du doc. 4 portait un titre ; retrouvez-le dans la liste suivante :
1. amaigrissement 2. calme
3. cauchemar 4. froid 5. insomnie
6. gorge serrée.

4. Observez le dessin de Wolinski : que font les personnages ? Qui sont-ils ?
Donnez un titre à ce dessin.
Recherchez le mot <u>mention</u> dans le lexique.

À VOUS...

5. Deux de ces phrases ne sont pas correctes, lesquelles ?

Les internationaux de France de Roland-Garros sont l'événement sportif...
a) qui intéresse le plus les Français,
b) pour lequel les Français se passionnent le plus,
c) auquel les Français se passionnent le plus,
d) auquel les Français s'intéressent le plus,
e) qui passionne le plus les Français,
f) pour lequel les Français s'intéressent le plus.

6. Dans le doc. 4, pouvez-vous dire quels témoignages sont donnés
☐ par des garçons ?
☐ par des filles ?

7. Panique et trac : cela sonne bien pour une oreille de francophone. Connaissez-vous le sens des expressions suivantes :
tic-tac ; zigzag ; bric-à-brac ; comme ci, comme ça ?

SOUS LES MOTS, LA VIE

8. A quel moment de l'année se déroulent les événements sportifs cités dans le doc. 2 ?
(Les réponses se trouvent dans le livre.)

9. Pouvez-vous citer un sportif (sportive) français ?

10. Vous arrive-t-il d'avoir le trac ?
Dans quelles occasions ?
Comment cela se manifeste-t-il ?

<u>MOTS SOULIGNÉS : VOIR LEXIQUE</u>

SAVEZ-VOUS QUE...

■ Juin, c'est aussi le **solstice d'été,** le 21 ou le 22 juin ; c'est le jour le plus long de l'année.

■ **Pendant les 24 heures du Mans,** 55 voitures de courses tournent sur le circuit de la ville du Mans et attirent une foule de spectateurs.

DOC. 1

SEMAINE DU 30 MAI AU 5 JUIN

TENNIS

ROLAND-GARROS. La grande fête du tennis continue tout au long de la semaine, sur TF1.

AUTO

GRAND PRIX DE MONACO. Pour les virtuoses et les chanceux. Une 28e victoire de Prost pour les beaux yeux des princesses. Dimanche 14 h 20 TF1.

CYCLISME

DAUPHINÉ LIBÉRÉ. Grande étape de montagne entre Bardonecchia et Barcelonette. Rude bataille à prévoir. Dimanche 16 h 30 FR3.

FOOTBALL

MULTIFOOT. Dernière émission de la saison. Marseille et Bordeaux seront-ils encore au coude à coude ? Vendredi 22 h 45 TF1.
COUPE DE FRANCE. Une demi-finale (sous réserves). Mardi 19 h 45 C +.

MOTO

CHAMPIONNAT DE FRANCE de moto-cross 125 cm³. Dimanche 14 h 30 FR3.
GRAND PRIX DE FRANCE de trial. Dimanche 16 h 05 FR3.

RUGBY

FRANCE-ZIMBABWE en direct d'Auckland. Sans doute le match le plus facile pour « les petits ». Mardi 4 h 55 A2.
NOUVELLE-ZÉLANDE-ARGENTINE en direct de Wellington. Les Argentins ne veulent pas s'en laisser conter face à l'une des équipes favorites de cette première Coupe du monde. Lundi 4 h 55 A2.
ÉCOSSE-ZIMBABWE en différé. Première apparition sur nos écrans des joueurs de l'Afrique australe. Les Écossais imposeront très probablement leur jeu. Samedi 9 h 00 A2.
RÉSUMÉ et extraits de tous les matchs joués jusque-là dans cette première Coupe du monde de rugby. Samedi 14 h 55 A2.
MAGAZINE de la Coupe du monde. Le rendez-vous hebdomadaire. Dimanche 22 h 00 A2.

GOLF

OPEN D'ESPAGNE et de MONTE CARLO. Extraits de ces deux compétitions dans « Les drives de Canal Plus ». Lundi 22 h 25 C +.

JUMPING

Aux haras du Pin (Normandie) et à Cannes. Dimanche 14 h 30 et 15 h 15 FR3.

■ TÉLÉRAMA 27-5-1987

DOC. 2

■ LE MONDE 24-6-1986 DESSIN DE PLANTU

DOC. 3

■ LE QUOTIDIEN DE PARIS 24-6-1986 DESSIN DE HOVIV

Giresse : footballeur français.

F. Mitterrand : Président de la République.

J. Chirac : ancien Premier ministre, l'un des principaux opposants politiques de F. Mitterrand.

5. TÉLÉ-SPORTS

ENTREZ DANS LA PAGE

1. Dans quel(s) document(s) est-il question de la Coupe du Monde de football ?

2. Dans quel(s) document(s) trouve-t-on un autre thème que le sport ?

LISEZ, COMPRENEZ

3. Observez le document 2.

a) Dans quelle ville se passe la scène ?
b) Le personnage qui pose la question est-il plutôt :
☐ en colère ?
☐ effrayé ?
☐ calme ?
Qu'est-ce qui vous l'indique ?
Recherchez les mots Tchernobyl et Mundial dans le lexique.

4. Un objet familier de la vie des Français apparaît dans le dessin du doc. 3. Il est aussi mentionné dans le doc. 2.
De quel objet s'agit-il ?

À VOUS...

5. Tout programme de télévision contient au minimum le nom ou le sujet de l'émission, la chaîne qui le propose, le jour et l'heure de passage. Ici le journaliste en dit plus.
Soulignez les mots ou les phrases par lesquels il s'exprime personnellement.

SOUS LES MOTS, LA VIE

6. Dans le doc. 3, qui est le personnage assis ?
Comment comprenez-vous l'humour de ce dessin ?

7. Si vous êtes sportif, quel(s) sport(s) pratiquez-vous ?
Si vous êtes plutôt « télésportif », quelle compétition ne manquez-vous jamais à la télévision ?

8. Imaginez un dialogue entre Pierre et Paul :

☐ Pierre ne veut pas manquer la retransmission télévisée en direct, de la finale de Roland-Garros ;
☐ Paul veut convaincre Pierre d'aller « faire un tennis » avec lui.

9. Trouvez les mots qui composent le mot-valise :
repère :
père de jumeaux.

MOTS SOULIGNÉS : VOIR LEXIQUE

SAVEZ-VOUS QUE...

■ Le 24 juin, c'est **la Saint-Jean :** la tradition d'allumer des feux en plein air, de chanter, de danser et de sauter au-dessus du foyer s'était perdue, mais elle semble renaître depuis quelques années.

■ Le troisième dimanche de juin, **la fête des Pères** a du mal à s'imposer, au grand regret des commerçants.

JUILLET • AOÛT

JUILLET ENSOLEILLÉ REMPLIT CAVE ET GRENIER

MOTS CLÉS

BISON FUTÉ
BRONZAGE
ÉTÉ
FAMILLE
FESTIVALS
MER
PLAGE
SOLEIL
SPORTS
TOUR DE FRANCE
VACANCES
VOITURE
VOYAGES

1

1. Tableau de Claude Monet (1840-1926). « La rue Montorgueil pavoisée », en 1879.

2. Le 14 Juillet 1989, fête du bicentenaire sur les Champs-Elysées.

3. La moisson dans le Berry, une région du Centre.

4. Le festival d'Avignon a lieu chaque année en juillet.

5. Le Tour de France 1989, avec Laurent Fignon.

6. Escalade dans les calanques de Cassis dans le Sud.

DOC. 1

BISON FUTÉ,

LES DIX ANS D'UNE STAR ROUTIÈRE

Le petit Indien, imaginé par un concepteur de pub, continue son bonhomme de chemin. L'automobiliste rusé qui suit ses messages peut arriver, sans trop d'énervement et de bouchons, à bon port.

■ LIBÉRATION 28-6-1986

DOC. 2

Un samedi de grand départ sur l'autoroute du Sud

14 h 30. Semur-en-Auxois. Une station-service. Avec la chaleur, le personnel demeure à l'intérieur, qui est climatisé. Les clients sont en self-service à la pompe. « *Ils seront encore plus énervés au retour, commente un employé. Et sans* le sou *: nous avons une cargaison de montres laissées en gage pour payer l'essence.* » Monique, la femme de ménage, ne sait que faire, pour sa part, des nombreux chiens et chats abandonnés, attachés à un arbre ou un poteau. Un jour, elle a même découvert un enfant oublié dans les toilettes. « *Sa mère s'en est rendu compte une demi-heure après en cherchant son fils pour montrer un avion dans le ciel.* »

■ L'ÉVÉNEMENT DU JEUDI 9-7-1987

DOC. 3

LA ROUTE TUE...

■ Entre 1960 et 1987, plus de 350 000 Français sont morts sur la route et 8,2 millions ont été blessés. Un bilan insupportable sur le plan humain, détestable aussi sur le plan économique, puisque chaque décès dû à un accident de la route coûte près de 2 millions de francs à la collectivité.
Cependant, le nombre de morts a diminué de 40 % en 15 ans.
Ces résultats ont été obtenus grâce à :

■ l'amélioration du réseau routier ;
■ l'abaissement de la puissance moyenne des voitures ;
■ l'impact des campagnes sur la sécurité routière ;
■ l'accroissement de la vigilance des policiers ; ainsi qu'à un certain nombre de nouvelles lois, notamment :
■ la limitation de vitesse : 130 km/h sur autoroute et 90 sur route (depuis 1973) ;
■ le port obligatoire de la ceinture de sécurité hors agglomération (depuis 1973) ;
■ le port obligatoire du casque pour les motocyclistes (1973) ;
■ la loi fixant un seuil légal d'alcool par litre de sang (1,2 g en 1978 et 0,8 g depuis 1983).

Malgré ces améliorations, la proportion d'accidents mortels reste plus élevée en France que dans d'autres pays.
Parmi les pays industrialisés, la France est celui (avec l'Autriche) où l'on meurt le plus sur la route : 330 conducteurs ou passagers tués par million de voitures en circulation. À titre de comparaison, le chiffre est de 185 aux États-Unis, 182 en Italie, 163 au Japon, 162 en R.F.A., 127 au Royaume-Uni.

■ D'APRÈS FRANCOSCOPIE 1989

DOC. 4

DOC. 5

DOC. 6

1. EN ROUTE !

ENTREZ DANS LA PAGE

1. Parcourez rapidement toute la page et faites la liste des principales causes d'accident.

2. Qui est Bison Futé ?

LISEZ, COMPRENEZ

3. À chacun des messages de la Prévention Routière (doc. 4, 5 et 6) faites correspondre une ou plusieurs des phrases suivantes :
a) Attention aux contrôles du taux d'alcool dans le sang !
b) Ne partez pas tous le même jour !
c) Conduire vite ne prouve pas que vous êtes un homme !
d) Boire ou conduire : choisissez !
e) La voiture, ça peut faire bobo !
f) Ne soyez pas macho

4. En vous aidant du contexte, trouvez le sens des deux expressions qui suivent.
A. **Laisser un objet en gage** (doc. 2)
a) offrir un objet pour remercier,
b) laisser un objet que l'on reprendra lorsqu'on pourra payer,
c) laisser un objet pour le faire réparer.
B. **Continuer son bonhomme de chemin** (doc. 1)
a) continuer à rouler,
b) continuer son action malgré les changements et les difficultés,
c) continuer à réparer la route.

À VOUS...

5. « Qu'est-ce que tu prends ? »
Le plus souvent, dans quelle situation entend-on cette question ?
Expliquez le jeu de mots du doc. 6.

6. Relisez le document 2 et mettez-vous à leur place !
Choisissez l'une des quatre situations suivantes :
a) Imaginez le dialogue entre les parents au moment où ils se rendent compte que l'enfant n'est pas dans la voiture.
b) Quelques jours plus tard, la mère écrit à une amie et lui raconte le voyage. Faites la lettre.
c) En arrivant l'enfant raconte le voyage à sa cousine.
Imaginez le récit.
d) Monique décide de faire une affiche pour décourager les vacanciers d'abandonner leurs animaux familiers. Donnez-lui des idées pour réaliser une affiche efficace.

SOUS LES MOTS, LA VIE

7. En vous aidant du doc. 3 comparez les lois françaises concernant la sécurité routière à celles de votre pays.

8. Trouvez les mots qui composent le mot-valise :
poulaid :
« Flic » laid comme un pou.

MOTS SOULIGNÉS : VOIR LEXIQUE

SAVEZ-VOUS QUE...

■ 49 % des Français reconnaissent qu'il leur est arrivé de commettre une **faute grave sur la route** comme de brûler un feu rouge ou un stop...

■ Aussitôt après le stress des examens, c'est la course des jeunes bacheliers pour **s'inscrire dans une université** : ils sont plus nombreux qu'il n'y a de places !

DOC. 1

PRÈS DE SIX FRANCAIS SUR DIX

■ Les vacances... on en rêve longtemps avant, on s'y prépare tout au long de l'année et sitôt rentré, plus ou moins bronzé, selon le lieu et la durée du séjour, suivant le climat, on envie ceux qui partent pour ce mois d'été qui paraît toujours devoir être long avant le départ et qui paraît si court sitôt vécu.

Les vacances, c'est pour chacun d'abord le fait de ne pas aller au travail, mais c'est surtout et de plus en plus quitter son chez soi, son domicile principal pour aller ailleurs, plus ou moins loin, un nombre de jours plus ou moins grand. Pour la statistique, il n'y a « vacances » qu'au-delà de quatre jours consécutifs — ou plutôt quatre nuits — *« passés hors du domicile principal, pour des raisons autres que le travail, l'étude ou la santé »*. En suivant cette définition plus de 31 millions de Français en 1984 (dernières statistiques connues) sont partis (soit 57,3 % de la population) prenant 921 millions de jours de vacances, dont quatre sur cinq en France (759 millions).

La grande transhumance estivale vide ainsi les régions au nord de la Loire (et essentiellement l'Ile-de-France qui représente plus de 40 % des départs) pour remplir les régions supposées ensoleillées, au bord de la mer ou en montagne.

Logiquement, ce sont les habitants des zones les plus urbanisées (villes de plus de 100 000 habitants) qui se déplacent le plus pendant les vacances : dans les communes rurales, seuls 39 % des habitants voyagent, contre 83,5 % des Parisiens. S'en étonnera-t-on ?

Ce sont les cadres supérieurs et les membres des professions libérales (88 % d'entre eux) qui partent le plus en vacances, le plus longtemps (37 jours par an contre 25 jours chez les ouvriers), et ce sont aussi les plus riches (à partir de 120 000 F de revenu annuel) qui partent le plus (81 % d'entre eux) et le plus longtemps.

La destination préférée des Français pour leurs vacances d'été reste la mer (42,4 % des journées de vacances), qui, en vingt ans, a largement supplanté la campagne (25,2 %) : en 1964, ces chiffres étaient respectivement 33,9 % pour la mer et 35,2 % pour la campagne. Celle-ci a en outre perdu du terrain en faveur de la montagne dont la fréquentation, en deux décennies, est passée de 13,9 % à 25,2 %. Un double phénomène qui s'explique sûrement en partie par un exode rural lointain et la perte de contact avec les racines familiales, mais aussi par le choix d'un autre mode de vie.

J. D.

■ LE MONDE 26-4-1986

DOC. 2

Les congés payés ont cinquante ans

DOC. 3

DESTINATION FRANCE

■ Les catalogues et les affiches ont beau faire rêver les Français de paradis éloignés sur fond de soleil et de paysages exotiques, ceux qui passent du rêve à la réalité restent peu nombreux. Cinq vacanciers sur six restent en effet fidèles à l'Hexagone...

■ FRANCOSCOPIE : 1985

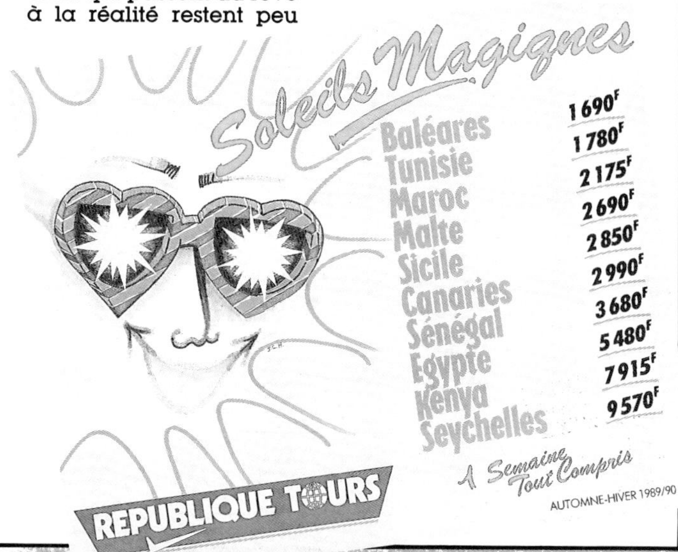

2. COMPTES DE VACANCES

ENTREZ DANS LA PAGE

1. Quel rapport y a-t-il entre les doc. 3 et 1 ?

LISEZ, COMPRENEZ

2. Dans la liste ci-dessous, choisissez un titre pour chacun des paragraphes du document 1 :
a) Nord-Sud
b) Du temps et de l'argent
c) Gens des villes et gens des champs
d) L'attrait de la mer
e) Les vacances, qu'est-ce que c'est ?
f) Avant, après.

3. Dans le texte du document 1, trouvez l'information précise qui justifie le titre.

À VOUS...

4. Faites des phrases en utilisant les éléments en caractères gras ci-dessous ;
vous pouvez reprendre
des informations
contenues dans le doc. 1.
a) Ligne 51 : ... dans les communes rurales, (...) 39 % des habitants voyagent **contre** 83 % des Parisiens.
b) Lignes 29-33 : ... plus de 31 millions de Français (...) sont partis **soit** 57,3 % de la population.
c) Ligne 40 : ... l'Ile-de-France **représente** plus de 40 % des départs.
d) Ligne 33 : ... les Français ont pris 921 millions de jours de vacances **dont** 759 millions en France.

5. On peut dire :
☐ les villes de plus d'un million d'habitants
ou : les villes dont la population est supérieure à un million ;
☐ les villes de moins d'un million d'habitants
ou : les villes dont la population est inférieure à un million.
Que peut-on dire pour :
a) les enfants de moins de 13 ans
b) les classes de moins de 30 élèves
c) les personnes de plus de 70 kg
d) les personnes gagnant moins de 10 000 F par mois.

SOUS LES MOTS, LA VIE

6. Relisez les lignes 74 et 80 du doc. 1 puis utilisez les expressions « supplanter » et « perdre du terrain en faveur de... » pour parler de la vie moderne.

7. Dans votre pays, quel est le système des congés payés ?

MOTS SOULIGNÉS : VOIR LEXIQUE

SAVEZ-VOUS QUE...

■ Pour organiser leur séjour 7 % seulement des **vacanciers** français utilisent des **agences de voyages,** contre 34 % des Luxembourgeois, 29 % des Anglais, 28 % des Néerlandais, 25 % des Allemands (R.F.A.), 24 % des Danois, 17 % des Belges, 7 % des Espagnols et des Italiens, 4 % des Grecs et 3 % des Portugais.

■ Juillet c'est aussi les **collections d'hiver** de la haute couture... et les **soldes** des vêtements d'été.

DOC. 1

FLONFLONS

■ Pas de 14 Juillet sans bals populaires... Une jolie tradition qui, au son de l'accordéon, réunit vacanciers et autochtones. Pas de 14 Juillet non plus sans feux d'artifice. La moindre commune met un point d'honneur à étoiler le ciel de bleu, de vert, de rouge et d'or.

■ FEMME ACTUELLE
JUILLET 1987

DOC. 2

Les pétards du 14 Juillet

■ Avec le défilé et les bals, les pétards font partie de la tradition du 14 Juillet...

■ Les pétards, c'est la fête, déclare Valérie, douze ans, lycéenne. Ça explose, ça fait du bruit, on s'éclate et c'est pas méchant ! Avec mes copains et mes copines, on célèbre la Révolution comme ça. On parcourt les rues du village et, pan ! on fait sauter un pétard...

■ Je n'aime pas ça, déclare Dominique, trente-trois ans, mère au foyer. C'est idiot de s'amuser à faire du bruit et peur aux adultes...

■ FEMME ACTUELLE
JUILLET 1987

DOC. 3

1989 : UN 14 JUILLET UNIVERSEL

■ **Défilé militaire** devant trente-trois chefs d'État et de gouvernement. Dialogue diplomatique intense. Ouverture du sommet des « sept » grands. Spectacle planétaire avec la « Marseillaise » de Jean-Paul Goude retransmise dans plus de cent pays. La célébration du bicentenaire — deux cents ans après la déclaration des Droits de l'Homme — a retenti bien au-delà de l'Hexagone.

■ **Près d'un million de personnes au traditionnel défilé militaire.**

■ **Spectacle étonnant que « La Marseillaise » de Jean-Paul Goude.** Plus d'un million de personnes ont envahi les Champs-Élysées pour suivre ce défilé planétaire et surréaliste, retransmis par plus de cent chaînes de télévision.

■ Un somptueux feu d'artifice.

■ **Jessye Norman : « Un grand moment ».** Chanter la « Marseillaise », place de la Concorde, pendant la grande parade de Jean-Paul Goude, aura été « un grand moment » pour la cantatrice américaine Jessye Norman.

■ **Et puis, un peu partout, les bals populaires à Paris et en province.** On y danse sans oublier qu'on est en République.

■ LA DÉPÊCHE DU MIDI
15-7-1989

3.

14 JUILLET

ENTREZ DANS LA PAGE

1. Les documents 1 et 2 vous donnent les quatre éléments de la tradition de la fête nationale française ; quels sont-ils ?

2. 1789-1989. Par rapport à cette tradition, la célébration du bicentenaire de la Révolution française a donné lieu à des festivités exceptionnelles. Lesquelles ?

LISEZ, COMPRENEZ

3. Le document 2, extrait de la presse, est-il :
a) un commentaire ?
b) un recueil de témoignages ?
c) un reportage ?
d) autre chose ?

4. Vous pouvez lire à trois reprises « la Marseillaise ».
Ce titre désigne dans cette page, deux réalités différentes : lesquelles ?

À VOUS...

5. Voici, en ordre alphabétique, des adjectifs qui se trouvent tous dans le document 3.
Cherchez-les.

Applaudi
Étonnant
Intense
Planétaire
Populaire
Somptueux
Surréaliste
Traditionnel
Universel

6. Utilisez le plus grand nombre possible de ces adjectifs pour faire le commentaire d'une fête de votre choix.

SOUS LES MOTS, LA VIE

7. Valérie et Dominique ont des points de vue différents sur l'usage des pétards.
Et vous, qu'en pensez-vous ?

8. Quels sont les lieux et les monuments de Paris évoqués dans cette page.

9. Trouvez les mots qui composent les mots-valises :
accornéon :
éclairage musical.
défilaid :
promenade réservée aux gens qui ne sont pas beaux.

MOTS SOULIGNÉS : VOIR LEXIQUE

SAVEZ-VOUS QUE...

■ Le 14 juillet commémore **la prise de la Bastille** par le peuple de Paris, en 1789.
La Bastille était une prison devenue le symbole du pouvoir absolu.
Cet événement marque le début de la Révolution française.

DOC. 1

CYCLISME :

STEPHEN ROCHE ET JEANNIE LONGO VAINQUEURS DU TOUR DE FRANCE

■ Plusieurs centaines de milliers de spectateurs ont, le dimanche 26 juillet, accueilli sur les Champs-Elysées les cent trente-cinq coureurs, précédés des soixante-dix-sept coureuses du Tour de France cycliste.

■ LE MONDE 28-7-1987

DOC. 2

LE TOUR DE FRANCE EN CHIFFRES

■ Le Tour, c'est aussi une formidable organisation : 800 véhicules, 2 000 personnes, 200 journalistes suivent en permanence la course. Chaque année, 12 millions de spectateurs regardent le Tour sur le parcours, et 50 millions en « Eurovision »...

■ CLÉ SEPTEMBRE 1984

■ François Mitterrand est capable de réciter par cœur tous les vainqueurs du Tour de France...

■ L'ÉQUIPE MAGAZINE 6-6-1987

DOC. 3

TOUR DE FRANCE

■ Le 1er juillet 1907, soixante garçons rejoignent l'auberge du Réveille-matin à Montgeron. Ils allaient se lancer dans le premier Tour de France pour une première étape Paris-Lyon. Le Tour numéro 1 en comptera six au long d'un parcours de 2 482 km. Au soir de l'arrivée, Henry Desgranges, patron du journal sportif *L'auto*, peut être satisfait en regardant le premier vainqueur, Maurice Garin, il avait remporté son pari...

... la seconde édition faillit bien être la dernière. A Saint-Etienne, en effet, quatre hommes masqués et armés attaquent la course pour favoriser la victoire du Stéphanois Faure. A Nîmes, une centaine d'hommes en armes prennent d'assaut le contrôle parce que leur coureur favori, l'Arlésien Bayau, a été disqualifié. Il s'était fait prendre en train de se faire paisiblement remorquer par une voiture au lieu de pédaler...

... En 1909, le Luxembourgeois Faber, leader, terminera une étape le vélo sur son épaule. Sa chaîne avait sauté. En 1913, le « vieux Gaulois », Eugène Christophe, casse sa fourche dans l'ascension du Tourmalet. Il fait alors quatorze kilomètres à pied avant de trouver une forge où il répare lui-même sa machine... Dès ses premières années, le Tour de France devient un enjeu commercial prioritaire pour les marques de cycles. Les coureurs portent les couleurs d'une marque et une victoire signifie pour celle-ci de nombreuses ventes. Dès lors, tous les moyens sont bons ou presque. Y compris l'assassinat. Le coureur normand Duboc, leader du Tour en 1911, s'effondre dans la montée de l'Aubisque. Il a été empoisonné par des rivaux...

Interrompu durant les hostilités, le Tour repart en 1919. Henry Desgranges a, alors, l'idée de faire porter au leader du Tour de France un maillot de la même couleur que les pages de son journal : le maillot jaune devient ainsi le symbole de la victoire. Il reste aujourd'hui le rêve de chaque coureur cycliste...

... Louison Bobet, le Normand, remportera le Tour trois années d'affilée, de 1953 à 1955...

... Ces années mettront également aux prises deux champions français : Jacques Anquetil, cinq fois vainqueur du Tour, et Raymond Poulidor. Lui restera dans la légende pour n'avoir jamais porté le maillot jaune malgré son talent...

... En 1967, la grande boucle vit un drame inoubliable, car chaque Français a pu le voir en direct à la télévision : l'ancien champion du monde, l'Anglais Tom Simpson, à la dérive sur les pentes du mont Ventoux. Il zigzague d'un bord à l'autre de la route, maladroitement aidé par quelques poussettes des spectateurs puis il tombe inanimé et mourra quelques heures plus tard, première victime officielle du dopage, qui est aujourd'hui sévèrement contrôlé et réprimé...

■ LE PÈLERIN MAGAZINE 27-6-1986

DOC. 4

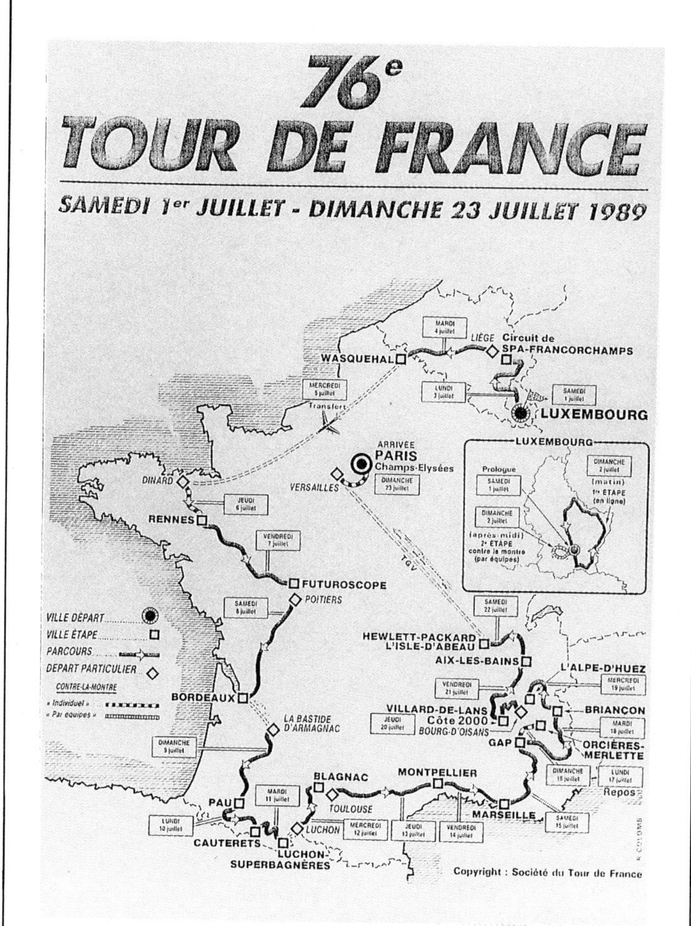

4. LE TOUR DE FRANCE

ENTREZ DANS LA PAGE

1. Depuis combien d'années le Tour de France existe-t-il ?

2. Combien de téléspectateurs européens regardent-ils le Tour de France à la télévision ?

3. Reportez-vous à la page 40. Le Tour de France est-il un événement sportif moins populaire que Roland-Garros ?

LISEZ, COMPRENEZ

4. Traditionnellement, à quel endroit de quelle ville a lieu l'arrivée du Tour de France ?

5. Cherchez dans le doc. 3 les réponses aux questions suivantes :
a) En 1908, pourquoi Bayau a-t-il eu des problèmes ?
b) Quel coureur a lui-même réparé son vélo pour pouvoir continuer la course ?

6. Dans l'histoire du Tour, deux coureurs sont morts pendant la course : lesquels ?
En quelle année ? Qu'est-ce qui a provoqué leur mort ?

7. Le premier au classement général porte le « maillot jaune ».
Quelle est l'origine de cette coutume ?

À VOUS...

8. Observez la carte du Tour de France 1989.
S'agit-il exactement d'un tour de France ?
Citez deux grandes villes qu'il ne traverse pas.

SOUS LES MOTS, LA VIE

9. Doc. 3, ligne 57 : de quelles hostilités s'agit-il ?

10. Lisez le doc. 2. À votre avis, pourquoi ce magazine donne-t-il ce type d'information à ses lecteurs ?

11. Dans votre pays, quelle place occupe le vélo
☐ dans la vie quotidienne ?
☐ dans le monde sportif ?

12. Trouvez les mots qui composent le mot-valise :
pédalgogue :
professeur de cyclisme.

MOTS SOULIGNÉS : VOIR LEXIQUE

SAVEZ-VOUS QUE...

■ **La pratique des sports** a beaucoup augmenté depuis le début des années 80 : 77 % des hommes et 71 % des femmes se livrent à une activité physique plus ou moins régulièrement.
Ils pratiquent essentiellement des **sports individuels** notamment la culture physique, la natation et la marche.

DOC. 1

Tradition

L'été entre en scènes

C'est devenu un événement culturel de dimension mondiale, un modèle souvent copié, un lieu de pèlerinage pour ceux qui ne veulent pas bronzer idiots.

■ MURS, MURS
JUILLET-AOÛT 1987

DOC. 2

FESTIVALS DE L'ÉTÉ

PROGRAMME

DANSE, EXPO, PHOTO, THEATRE, ROCK, JAZZ, MUSIQUE CLASSIQUE

■ LIBÉRATION 12-6-1986

DOC. 3

JUILLET...

●●● En juillet, mois des festivals, toutes les régions font assaut d'imagination pour donner des spectacles en tout genre...

●●● Rien ne vous empêche de visiter sur votre route ou dans votre région les expositions de l'été.

●●● Et si vous êtes dans un trou perdu, où rien ne se passe jamais, lisez (enfin !) tous les livres que vous vouliez dévorer pendant l'année...

■ L'ÉQUIPE MAGAZINE
30-5-1987

DOC. 4

15 août : le calendrier au secours des gendarmes

Les citadins ne « font pas le pont »

■ Le calendrier vient cette année, au secours des 23 200 gendarmes et C.R.S. qui surveillent les routes de France pendant ce 15 août. Comme les autres années, c'est un jour de pointe pour les retours et les départs en vacances, mais la fête de l'Assomption « tombant » cette fois au milieu d'une semaine, il n'y aura pas de « pont » pour les citadins...

■ FRANCE-SOIR
15-8-1962

DOC. 5

STATIONNEMENT GRATUIT AU MOIS D'AOÛT

■ En août, plus de **34 000 places** de stationnement seront gratuites.

Comme chaque année, au mois d'août, 34 450 places de stationnement payant dans la capitale sur 62 150 pourront être utilisées par les automobilistes gratuitement.

■ PARIS-SERVICES
13-7-1987

5. POUR NE PAS BRONZER IDIOT

ENTREZ DANS LA PAGE

1. Quelle activité culturelle n'apparaît pas dans cette page ?
☐ Lecture. Théâtre. Concerts. Cinéma. Expositions. Danse.

2. Le 15 Août est-il un jour férié ?

LISEZ, COMPRENEZ

3. Quels mots du doc. 1 vous indiquent que le festival d'Avignon, essentiellement festival de théâtre, existe depuis de nombreuses années ?

4. Le doc. 3, extrait d'un journal populaire, a-t-il plutôt pour but :
☐ d'informer ? qui ? de quoi ?
☐ d'encourager ? qui ? à quoi faire ?
☐ de donner une opinion ? de qui ? sur quoi ?

5. Pourquoi le travail de la police a-t-il été moins difficile en 1962 que les autres années à cette même date ?

À VOUS...

6. À Paris, au mois d'août 1987, combien de places de stationnement restaient-elles payantes ?

7. D'après le contexte, trouvez le sens de l'expression familière : « un trou perdu » :
a) une période d'instabilité psychologique ;
b) une ville au fond d'une vallée ;
c) un petit village, loin de tout.

SOUS LES MOTS, LA VIE

8. À votre avis, est-ce que ce sont, en majorité, des Parisiens qui profitent de la gratuité du stationnement au mois d'août ?

9. Comprenez-vous le titre de cette page ?
À l'origine, cette expression était le slogan d'une publicité pour un festival de musique qui se déroulait en été, au bord de la mer.
Alors, que signifie « bronzer idiot » ?
a) prendre des coups de soleil ;
b) passer des vacances au soleil sans avoir aucune activité intellectuelle ou culturelle ;
c) devenir fou à cause du soleil.

10. Trouvez les mots qui composent le mot-valise :
toutriste :
voyageur parti à l'aventure, auquel il n'est rien arrivé.

MOTS SOULIGNÉS : VOIR LEXIQUE

SAVEZ-VOUS QUE...

■ En août, la plupart des usines ferment, **la production industrielle** est au plus bas.

■ Août, c'est aussi la fin de **la moisson**.
Le blé et la paille sont à l'abri des orages.

■ Les Français ont du mal à trouver leur **baguette** bien-aimée car un grand nombre de boulangeries sont fermées.

SEPTEMBRE • OCTOBRE

BEL AUTOMNE VIENT PLUS SOUVENT QUE BEAU PRINTEMPS

MOTS CLÉS

ARRIÈRE-SAISON
AUTOMNE
CARTABLE
ÉCOLE
ÉLÈVE
FEUILLES MORTES
HEURE D'HIVER
PLUIE
RENTRÉE
SALON DE L'AUTO
SPECTACLES
VENDANGES
VENT

1

4. Sur le chemin de l'école.

5. L'affiche du Salon de l'automobile de 1953.

6. La cueillette des champignons.

1. Vendanges au château d'Yquem à Sauternes dans le Sud-Ouest.

2. Le Mont Saint-Michel à marée basse.

3. L'hémicycle de l'Assemblée nationale, siège des députés.

DOC. 1

Quand vient la fin de l'été...

■ Quand on plie une tente, on constate plusieurs mystères.
...... il y a toujours des morceaux de tubes en plus, ça ne rentre jamais dans le sac.
...... il y a le phénomène dit « de la carte routière », c'est-à-dire qu'on ne sait ...... comment la remettre dans ses plis.
...... le maillet qu'on a perdu et ces sacrés piquets qui n'ont pas tenu pendant un mois refusent de s'arracher.
...... après quelques coups sur les doigts, accompagnés de jurons ...... ou moins grossiers, selon ce qui reste de son éducation, tout est prêt, sauf que plus ...... ne rentre dans le coffre de la voiture.
De toute façon, quand tout aura pris place à grands coups de pieds, il faudra recommencer parce que les clés de contact sont dans le petit sac bleu, à côté de la glacière, derrière le bateau pneumatique, et il faudra rattraper le chien...

■ MIDI-LIBRE 27-8-87

■ DESSIN : JOSEPH CRISCI

DOC. 2

AGENDA EXACOMPTA

Allez de septembre à septembre sans changement

■ La vraie rentrée professionnelle c'est en septembre pas en janvier.
■ Dès septembre survolez l'année d'un coup d'agenda.
■ Dès septembre organisez-vous avec un agenda au tracé clair et pratique.
■ Dès septembre et pour toute une année appréciez la qualité du papier et la solidité de la reliure Exacompta.

■ PUBLICITÉ
AGENDA EXACOMPTA

DOC. 3

DES AIDES POUR LES FAMILLES

A. Fournis gratuitement dans les écoles primaires par subvention municipale, les manuels le sont aussi depuis 1977 dans les collèges où ils sont renouvelés tous les quatre ans.

B. Des aides cependant sont accordées chaque année aux familles. Il s'agit essentiellement des bourses d'études du second degré. Plus de 500 000 lycéens et collégiens (27 % du total) en bénéficient. L'importance de la bourse, perçue chaque trimestre, varie selon les ressources...

C. Les frais de rentrée peuvent monter jusqu'à 1 800 F par enfant et représenter jusqu'à 40 % du revenu mensuel des familles les plus modestes.

D. Les familles, quelles que soient leurs ressources, disposent par ailleurs d'une aide indirecte importante : la gratuité des manuels.

E. Habillé de neuf de la tête aux pieds, cartable bourré à craquer sur le dos, l'enfant qui entame une nouvelle année scolaire coûte cher aux familles.

■ MIDI-LIBRE 28-8-1988

DOC. 4

Midi Libre

GRAND QUOTIDIEN D'INFORMATION DU MIDI
15.339 ♦ LUNDI 31 AOUT 1987 ♦ 3,70 F ♦ Esp. : 120 P
Hérault

C'EST LA RENTRÉE
■ DES CLASSES
■ POLITIQUE
■ ECONOMIQUE
■ SOCIALE

1. QUAND VIENT LA FIN DE L'ÉTÉ...

ENTREZ DANS LA PAGE

1. Parmi ces documents, un seul est une publicité : lequel ?

LISEZ, COMPRENEZ

2. Dans le doc. 1 remplacer les mots manquants par ceux de la liste ci-dessous :
☐ plus ; ensuite ; jamais ; d'abord ; puis ; rien ; ensuite.

3. Dans le doc. 1, quelle partie du texte le dessin illustre-t-il ?

4. Dans le doc. 2, un seul des arguments publicitaires suivants n'est pas utilisé ; lequel ?
a) c'est un agenda facile à utiliser,
b) il correspond mieux au rythme annuel de votre vie,
c) il est moins cher que les autres,
d) il n'est pas fragile.

À VOUS...

5. Remettez dans l'ordre les paragraphes du doc. 3.

6. Combien y a-t-il de types d'aides accordés aux familles ? lesquelles ?

7. Doc. 2. « Survolez l'année **d'un coup d'agenda.** »
De quelle expression le sens des mots en caractères gras ci-dessus est-il proche ?
a) d'un coup de pied,
b) d'un coup de fil,
c) d'un coup d'œil.

8. Complétez les phrases suivantes à l'aide de cette liste de mots :
main, coude, volant, poing, frein.

a) Il n'a pu s'arrêter qu'en donnant un grand coup de ...
b) Quand le professeur est entré dans la classe, Patrice a prévenu son voisin d'un coup de ...
c) Pour éviter le piéton, le conducteur a donné un coup de ... et la voiture a percuté un poteau.
d) Pour obtenir le silence, il a donné un coup de ... sur la table.
e) J'ai réussi à déménager en un week-end grâce au coup de ... que m'a donné Laetitia.

SOUS LES MOTS, LA VIE

9. Imaginez la suite du doc. 1.
Après une journée et une nuit de recherches, le chien reste introuvable.
On doit partir.
Le petit garçon refuse de monter en voiture.
Ses parents essaient de le convaincre.
Faites le dialogue.

MOTS SOULIGNÉS : VOIR LEXIQUE

SAVEZ-VOUS QUE...

■ Jusqu'en 153 avant Jésus-Christ, l'année romaine commençait le 1er mars et **les noms des mois** actuels en gardent la trace :
septembre : du latin septem (7), octobre : du latin octo (8), novembre : du latin novem (9), et décembre : du latin decem (10).

■ À bien des égards, **septembre** mériterait le titre de **premier mois de l'année** : on reprend le travail, l'école, les activités habituelles et... les statistiques montrent qu'on se marie beaucoup en ce mois qui ne comporte pourtant aucun jour férié.

DOC. 4

C'est déjà la rentrée...

■ La maîtresse à un élève un peu lent :

— Récite-moi le verbe marcher au présent.
— Jeee maaarche, tu maaaarches...

— Tu peux aller un peu plus vite ?
— Jee cooouuurs, tu couuurs...

■ MIKADO
SEPTEMBRE 1986

DOC. 1

LA PLACE

■ ... Quand je faisais mes devoirs sur la table de la cuisine, le soir, il feuilletait mes livres, surtout l'histoire, la géographie, les sciences. Il aimait que je lui pose des colles. Un jour, il a exigé que je lui fasse faire une dictée, pour me prouver qu'il avait une bonne orthographe. Il ne savait jamais dans quelle classe j'étais, il disait, « Elle est chez mademoiselle Untel ». L'école, une institution religieuse voulue par ma mère, était pour lui un univers terrible qui, comme l'île de Laputa dans *Les Voyages de Gulliver*, flottait au-dessus de moi pour diriger mes manières, tous mes gestes : « C'est du beau ! Si la maîtresse te voyait ! » ou encore : « J'irai voir ta maîtresse, elle te fera obéir ! »

Il disait toujours *ton* école et il prononçait le pen-sion-nat, la chère Sœur-œur (nom de la directrice), en détachant, du bout des lèvres, dans une déférence affectée, comme si la prononciation normale de ces mots supposait, avec le lieu fermé qu'ils évoquent, une familiarité qu'il ne se sentait pas en droit de revendiquer. Il refusait d'aller aux fêtes de l'école, même quand je jouais un rôle. Ma mère s'indignait, « *il n'y a pas de raison pour que tu n'y ailles pas* ». Lui, « mais tu sais bien que je vais jamais *à tout ça* ».

Souvent, sérieux, presque tragique : « Écoute bien à ton école ! » Peur que cette faveur étrange du destin, mes bonnes notes, ne cesse d'un seul coup. Chaque composition réussie, plus tard chaque examen, autant de *pris*, l'espérance que je serais *mieux que lui.*

■ ANNIE ERNAUX
© GALLIMARD

DOC. 2

INFO...

●●● L'école est plus considérée comme une nécessité que comme une obligation.
●●● À 16 ans, 75 % des jeunes sont scolarisés.
●●● Ils n'étaient que 55 % en 1968.

■ FRANCOSCOPIE 1985

DOC. 3

LE JOUR DE LA RENTRÉE SCOLAIRE

PERMISSION POUR LES PARENTS

■ Les parents de jeunes enfants devraient pouvoir les accompagner à l'école mercredi 3 septembre, jour de la rentrée des classes. Comme chaque année, le CNPF vient en effet de recommander à ses adhérents d'accorder à leurs salariés « dans toute la mesure du possible » des assouplissements d'horaire à cette occasion.

M. Hervé de Charette, ministre délégué chargé de la Fonction publique et du Plan, demande à ses collègues du gouvernement, dans une circulaire, d'accorder des facilités d'horaire le jour de la rentrée aux fonctionnaires, agents de l'Etat ou des établissements publics, pères ou mères d'un ou plusieurs enfants de moins de dix ans. Selon le ministère, 800 000 personnes devraient être concernées.

■ LE MONDE 27-8-1986

2. LA RENTRÉE DES CLASSES

ENTREZ DANS LA PAGE

1. Y a-t-il dans cette page des choses qui vous font rire ? qui vous étonnent ? qui vous informent ? lesquelles ?

LISEZ, COMPRENEZ

2. Lisez le doc. 3. D'après cet article, la totalité des personnes concernées auront-elles la possibilité d'accompagner leurs enfants à l'école ?
Qu'est-ce qui vous l'indique ?

3. Lisez le document 1 en vous posant les questions suivantes :
☐ qui raconte ?
☐ qui est la personne désignée par le pronom « il » ?
☐ de quel type de texte s'agit-il ?

4. Soulignez dans le texte les passages qui montrent que pour cette personne, l'école représente :
☐ la véritable autorité,
☐ un domaine réservé à la mère,
☐ un lieu qu'elle a très peu fréquenté dans son enfance,
☐ un lieu où l'on parle « bien »,
☐ un espoir de promotion sociale,
☐ un lieu qui n'est pas pour elle.

À VOUS...

5. Connaissez-vous des histoires drôles sur le thème de l'école ? Racontez-les.

SOUS LES MOTS, LA VIE

6. En France, jusqu'à quel âge la scolarité est-elle obligatoire ?

7. « La Place » est un roman autobiographique.
Connaissez-vous des romans de ce type ? Parlez-en.

MOTS SOULIGNÉS : VOIR LEXIQUE

SAVEZ-VOUS QUE...

■ Un dimanche matin, les Français remettent les pendules **à l'heure d'hiver**.

■ L'un des derniers dimanches de septembre, c'est **l'ouverture de la chasse :** plus de deux millions de chasseurs achètent, chaque année, leur permis de chasse. Pour l'obtenir, il faut en outre, depuis 1984, passer un examen.

DOC.

Quelles chances d'arriver en terminale?

■ Selon les statistiques du ministère, il vaut mieux être une fille, appartenir à un milieu socioprofessionnel confortable et passer sans problème le cap du cours préparatoire.

Le sexe

L'écart garçons-filles varie de dix à quinze points. Quelle que soit la catégorie socioprofessionnelle des parents, les filles distancient nettement les garçons à l'arrivée.

La catégorie socioprofessionnelle

C'est la variable la plus importante : 72,6 % des enfants de cadres supérieurs atteignent la terminale contre seulement 15 % des enfants de salariés agricoles. En France, près d'un enfant sur deux (44,7 %) appartient aux catégories sociales dites « défavorisées » — ouvriers, personnels de service, salariés agricoles, non-actifs. Cette masse considérable de gamins constitue les *laissés-pour-compte* de l'école : ils représentent 65,2 % des redoublants du cours préparatoire et seulement 25,7 % des lycéens admis en terminale.

Un enfant d'enseignant ou de cadre supérieur a cinq fois plus de chances d'arriver en terminale que celui d'ouvrier non qualifié ou de salarié agricole. Les premiers redoublent peu et foncent sans obstacle vers le lycée puis la classe de terminale. La palme revient tout de même aux enfants d'enseignants, qui *clouent tout le monde au poteau :* 79,4 % d'entre eux atteignent la terminale.

L'itinéraire scolaire

A peine hauts comme trois pommes, les doigts serrant les crayons de couleur, les petits de cours préparatoire (CP, la première année de l'école primaire) *jouent à six ans leur avenir scolaire.* Aussi incroyable que cela paraisse, cette année-là est déterminante.

Les chiffres sont implacables : seuls 5,4 % des redoublants de CP parviennent en terminale. C'est la deuxième variable qui compte pour la réussite scolaire. La première ne dépend pas de l'école, qui n'est pas responsable des différences de revenus des parents : certains gosses mangent peu et dorment à plusieurs dans la même chambre tandis que d'autres ont une vie confortable et des livres plein leur bibliothèque. En revanche, faire redoubler un enfant de six ans est une décision propre à l'institution scolaire. On le voit, elle est très lourde de conséquences, plus lourde encore pour les enfants de milieux défavorisés qui ne surmontent presque jamais un tel handicap. Ceux de milieux favorisés remontent un peu mieux la pente.

■ LIBÉRATION 9-9-1987

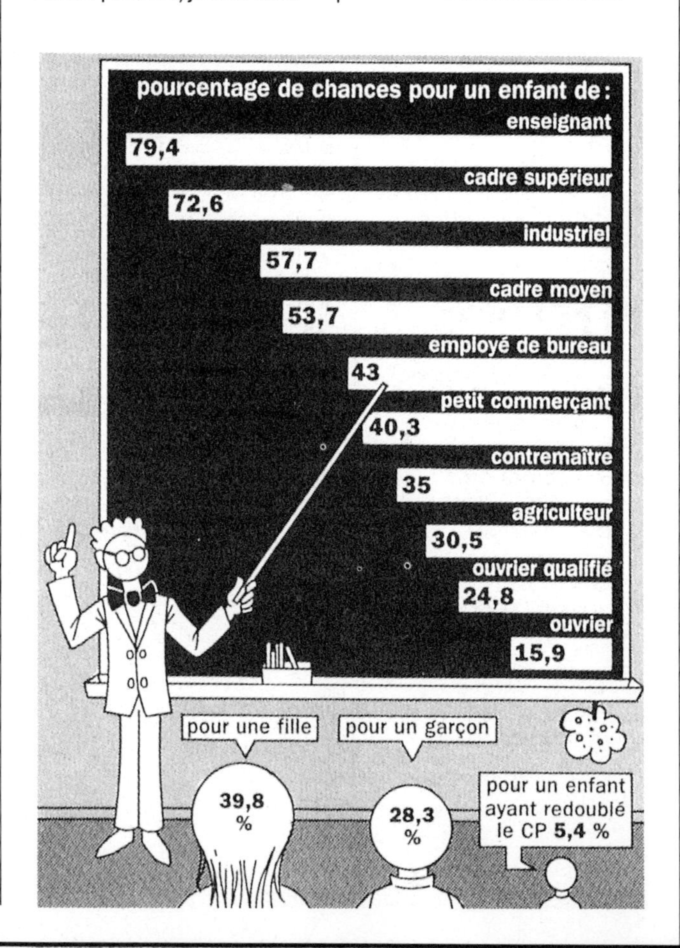

3. L'ÉCOLE

ENTREZ DANS LA PAGE

1. Quel est le thème dominant de cette page :
☐ les programmes scolaires ?
☐ le métier d'enseignant ?
☐ l'inégalité des chances ?

LISEZ, COMPRENEZ

2. Retrouvez dans le tableau les trois informations contenues dans le « chapeau » de l'article.

3. D'après le contexte, pouvez-vous expliquer les expressions en italique ?

4. À la ligne 71 du texte, la phrase commence par « En revanche... ». À quelle autre phrase du texte devez-vous la relier pour en comprendre le sens ?

À VOUS...

5. D'après les statistiques, lequel de ces trois enfants a le plus de chances d'arriver en terminale ?

a) Il a redoublé le C.P. ; ses parents sont cadres supérieurs.
b) Il a redoublé le C.P. ; ses parents sont agriculteurs.
c) Elle a redoublé le C.P. ; ses parents sont cadres supérieurs.

SOUS LES MOTS, LA VIE

6. Trouvez vingt noms de métiers commençant par une lettre différente.

7. Comparez le <u>système scolaire</u> français à celui de votre pays.

<u>MOTS SOULIGNÉS : VOIR LEXIQUE</u>

SAVEZ-VOUS QUE...

■ **L'enseignement public** est gratuit et laïque.

■ **L'école privée ou libre** est payante et presque toujours religieuse, essentiellement catholique.

■ Le 22 ou le 23 septembre, c'est **l'équinoxe** d'automne. C'est la plus forte marée de l'année : du haut du Mont-Saint-Michel, on voit la mer montante couvrir 80 km en 6 h 35 min.

DOC.

LES DIX COMMANDEMENTS POUR UNE RENTRÉE DES CLASSES RÉUSSIE

Avoir de bonnes notes ne suffit pas pour faire un enfant épanoui. Pas question de jeter votre petit sur les bancs de l'école comme une lettre à la poste. Seules votre affection et votre attention lui donneront l'envie de progresser. Voici les principaux ingrédients de cette réussite.

1. Intervenez dans son orientation.

2. Mettez le nez dans ses affaires.

3. Aidez-le quotidiennement.

4. Veillez à la qualité de sa vie.

5. Intéressez-vous au choix des langues.

6. Adhérez aux associations de parents d'élèves.

7. Tenez bon en cas d'échec.

8. Investissez-vous.

9. Dédramatisez le redoublement.

10. Rencontrez ses maîtres.

A. Il y en a quatre principales. La FCPE, la PEEP, l'UNAAPE et l'UNAPEL. La présence de parents nombreux et vigilants pèse d'un poids non négligeable dans la vie quotidienne de l'école.

B. Cela peut même être bénéfique si l'enfant est jeune, s'il l'accepte bien et si l'opération est bien préparée...

C. Elles permettent une sélection non avouée. Dans certains collèges, faire de l'allemand en première langue est la seule manière d'entrer dans les classes « fortes » où le niveau des élèves est homogène. Il en va de même pour le latin et le grec à partir de la quatrième...

D. Il ne suffit pas de veiller au bien-être matériel de vos petits. Il faut surtout leur faire prendre une solide confiance en eux. Les entourer, aussi bien affectivement qu'intellectuellement, et soutenir leur volonté...

E. Informez-vous de ce qui s'est passé en classe. Organisez avec lui l'emploi du temps de sa soirée (goûter, détente, travail). Intéressez-vous aux devoirs à la maison. Faites réciter les leçons...

F. N'attendez pas qu'il soit trop tard pour réagir. Parlez avec votre enfant pour repérer les points de blocage ; consultez l'équipe pédagogique et écoutez ses conseils ; faites vérifier la vue, et procédez à un bilan de santé...

G. Il existe quatre paliers principaux : les classes de cinquième, de troisième, de seconde, et la fin de la première... En février, vous ferez connaître vos intentions...

H. Il faut au minimum un entretien par an avec le professeur principal. Un enseignant qui connaît les parents fait plus attention aux enfants...

I. Vous êtes responsable de son sommeil. Un enfant de 11 ans a besoin de 11 heures de sommeil par nuit. Soyez draconien avec la télé. Installez-lui un coin calme et pratique où il puisse travailler et ranger ses affaires...

J. Le cahier de textes, d'abord. Vérifiez sa bonne tenue.
Consultez, ensuite, avec attention le carnet de notes. Il vous permet de suivre la progression des résultats.

■ MARIE-FRANCE
SEPTEMBRE 1986

4. PARENTS D'ÉLÈVES

ENTREZ DANS LA PAGE

1. Tous ces petits textes sont-ils extraits
☐ d'un seul document ?
☐ de plusieurs documents différents ?

LISEZ, COMPRENEZ

2. Complétez les phrases suivantes en utilisant des éléments du doc.

a) Pour réussir à l'école, un enfant doit être... et avoir...
b) Pour aider un enfant à réussir à l'école, les parents doivent faire preuve d'... et d'...

3. Faites correspondre chaque commandement au texte A, B, C,... qui en développe l'idée.

4. Ce document emprunte un mot au vocabulaire religieux et un mot au vocabulaire culinaire : trouvez-les.

À VOUS...

5. En vous aidant des textes E et I, décrivez la vie quotidienne d'un enfant d'âge scolaire.

SOUS LES MOTS, LA VIE

6. Que pensez-vous du rôle que, d'après ce document, les parents doivent jouer dans la vie scolaire de leurs enfants ?

7. À votre avis, tous les parents ont-ils la possibilité de bien jouer ce rôle ?
Pour quelles raisons ?

8. Quel rapport voyez-vous entre le contenu de cette page et celui de la page précédente ?

MOTS SOULIGNÉS : VOIR LEXIQUE

SAVEZ-VOUS QUE...

■ Octobre, **mois de la reprise** du travail, est aussi celui de la reprise de la consommation : en effet, il occupe la deuxième place, après décembre, pour l'activité du commerce.

■ On chante « les Feuilles mortes » d'**Yves Montand**.

■ Le premier dimanche d'octobre c'est le **prix de l'Arc de Triomphe** sur l'hippodrome de Longchamp.

DOC. 1

Les vendanges en Champagne

■ ... Selon la tradition, elles débutent cent jours après l'apparition de la fleur. Dès la fin septembre (début octobre, les années pluvieuses)...

... Plus les vendanges sont tardives et moins l'on rencontre de jeunes dans les vignes. En France, les universités ouvrent leurs portes dès les premiers jours d'octobre. Véritable pont entre les vacances et la rentrée universitaire, les vendanges sont, pour beaucoup d'étudiants, l'occasion de meubler une semaine creuse, en compagnie de quelques amis. L'opportunité aussi de gagner un peu d'argent de poche... Un peu seulement car si le champagne est un produit de luxe, le salaire horaire d'un vendangeur n'est, lui, guère élevé...

... En fait, la véritable motivation est, bien plus, l'attrait de la nature avant une année citadine et... studieuse. L'envie de vivre un rythme paysan et d'infliger à son corps quelques violences salutaires. Dans la vigne, le travail est rude. Gravir les coteaux, le dos sans cesse courbé et parfois dans la boue, laisse sur les reins de douloureuses traces... Mais l'ambiance des vendanges vaut bien ces petites souffrances...

■ CLÉ VOTRE JOURNAL EN FRANÇAIS

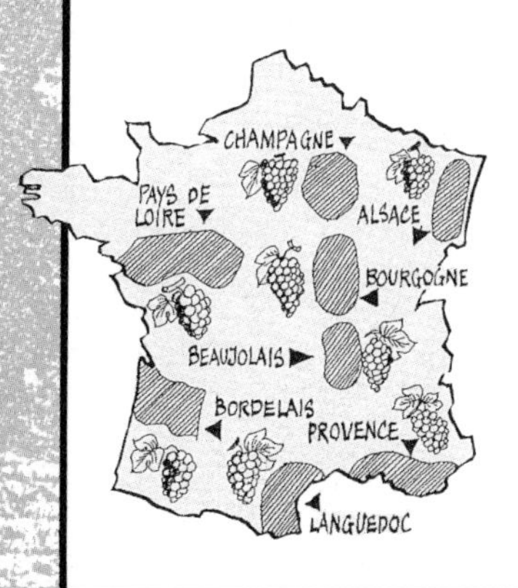

DOC. 2

SONDAGE

Question 1 : Au moment d'acheter une voiture, quels sont, en dehors du prix d'achat, les trois éléments qui comptent le plus dans votre choix ?

	Ensemble des Français		Ensemble des conducteurs	
	%(1)	Rang	%(1)	Rang
— La vitesse	4	8	4	8
— Le confort, le silence	52	2	57	2
— La beauté de la ligne	20	5	23	4
— La faible consommation	68	1	71	1
— La nationalité du véhicule (française ou étrangère)	21	4	22	5
— La puissance	13	7	16	7
— La durée de vie	47	3	48	3
— Le prix de revente possible	16	6	17	1
— Sans opinion	7		1	

(1) Le total des pourcentages est supérieur à 100, les personnes interrogées ayant pu donner trois réponses.

Question 2 : Supposez qu'il n'y ait pas de limitation de vitesse et que vous vous trouviez sur une autoroute où il y a très peu de circulation, à quelle vitesse iriez-vous ?

	AGE				
	18 à 24 ans	25 à 34 ans	35 à 49 ans	50 à 64 ans	65 ans et plus
Moins de 90 km/h	1	1	1	2	11
Entre 90 et 110 km/h	12	14	18	24	40
Entre 110 et 130 km/h	34	36	35	48	32
Entre 130 et 150 km/h	37	33	25	15	9
Entre 150 et 180 km/h	10	10	17	7	2
Entre 180 et 200 km/h	2	4	1	1	—
Plus de 200 km/h	4	2	1	1	—
Sans réponse	—	—	2	2	6
	100 %	100 %	100 %	100 %	100 %

• Sondage effectué pour : Le Monde et TF1.

■ SUPPLÉMENT LE MONDE 2-10-1986

DOC. 3

73e SALON DE L'AUTO ET DE LA MOTO

2-12 OCTOBRE PARIS - PORTE DE VERSAILLES

VOITURES PARTICULIÈRES, VÉHICULES UTILITAIRES, MOTOS

■ LE MONDE 2-10-1986

5. PLAISIRS D'AUTOMNE

ENTREZ DANS LA PAGE

1. Cette page est la dernière des mois de septembre et octobre ; y a-t-il dans cette période des fêtes civiles ou religieuses ?

LISEZ, COMPRENEZ

2. Recherchez dans le doc. 1 et classez par ordre d'importance décroissante les trois motivations des jeunes à faire les vendanges.

3. Cette affiche du Salon de l'auto pourrait-elle être utilisée si cette manifestation n'avait pas lieu à Paris ?

4. À la première question du sondage, les réponses des conducteurs sont-elles très différentes de celles de l'ensemble des Français ?
À votre avis, comment cela peut-il s'expliquer ?

À VOUS...

5. En vue d'un sondage sur un sujet de votre choix, préparez une question comparable à la deuxième question du doc. 2 :
Supposez que ...
et que ... ?

SOUS LES MOTS, LA VIE

6. En France, la limitation de vitesse sur autoroute est fixée à 130 km/h.
D'après ce sondage, pensez-vous que la majorité des Français
a) en soit satisfaite ?
b) la conteste ?

7. L'expression « Il a mis de l'eau dans son vin » signifie :
a) il est plus nuancé dans ses opinions ou dans son comportement,
b) il n'aime plus le vin,
c) il boit moins de vin.

MOTS SOULIGNÉS : VOIR LEXIQUE

SAVEZ-VOUS QUE...

■ Un peu comme en janvier, c'est le mois des **bonnes résolutions** ; on redevient sérieux et la presse d'information retrouve ses lecteurs.

■ Les salles de **cinéma,** désertées tout l'été, se remplissent à nouveau.

■ Les 21 et 22 octobre 1989 a eu lieu pour la première fois la **Fête du livre**.

NOVEMBRE • DÉCEMBRE

À LA SAINTE-CATHERINE, TOUT BOIS PREND RACINE

MOTS CLÉS

BÛCHE
CADEAUX
CHAMPAGNE
CHEMINÉE
CHOCOLATS
CHRYSANTHÈMES
CIMETIÈRE
DÉFILÉ
ENFANTS
GÉNÉROSITÉ
GUIRLANDES
HIVER
MESSE DE MINUIT
MONUMENT AUX MORTS
PÈRE NOËL
PRIX LITTÉRAIRES
RÉUNION DE FAMILLE
RÉVEILLON
SAPIN
SOUVENIR
VIN NOUVEAU

1

1. Le magasin des Galeries Lafayette à Noël.

2. Paysage d'hiver en Alsace.

3. Le beaujolais nouveau est arrivé...

4. Jeux d'hiver : le bonhomme de neige.

5. Un enfant ravi au milieu des cadeaux de Noël au pied du sapin.

DOC. 1

TOUSSAINT

LES FRANÇAIS ET LA MORT

Pour 58 % d'entre eux le week-end de la Toussaint est l'occasion d'une visite au cimetière.

■ Les responsables de la sécurité routière en étaient eux-mêmes étonnés : les départs pour ce long week-end de Toussaint ont provoqué des embouteillages records à la sortie des grandes villes. Pour ces déracinés que sont, dans leur grande majorité, les citadins, la Toussaint est l'occasion de renouer avec ses attaches. Le caveau de famille, les tombes des parents sont les derniers liens des « immigrés » des grandes villes avec leur terre natale. Selon un sondage Sofres-Antenne 2, publié par *le Nouvel Observateur,* 58 % des personnes interrogées vont se recueillir sur les tombes des morts de leur famille le jour de Toussaint et 42 % ont une pensée particulière pour de proches disparus ; 19 % seulement ne changent rien à leurs habitudes ce jour-là.

■ LE MATIN
1er NOVEMBRE 1977

■ LITHOGRAPHIE CAZALS

DOC. 2

DEVINETTE

- Parle sans bouche
- Court sans jambes
- Frappe sans mains
- Passe sans paraître

Qui est-ce ?

DOC. 3

Chanson d'automne

A. **Les sanglots longs**
A. **Des violons**
B. **De l'automne**
C. **Bercent mon cœur**
C. **D'une langueur**
B. **Monotone**

Tout suffocant
et blême, quand
Sonne l'heure,
Je me souviens
Des jours anciens
Et je pleure,

Et je m'en vais
Au vent mauvais
Qui m'emporte
Deçà, delà,
Pareil à la
Feuille morte.

■ PAUL VERLAINE
POÈMES SATURNIENS
(MESSEIN, ÉDITEUR)

1. LA TOUSSAINT

ENTREZ DANS LA PAGE

1. Le doc. 2 est une devinette ; vous en trouverez la réponse parmi les mots du poème de Verlaine.

2. Vérifiez dans le calendrier si le 1er et le 2 novembre sont tous les deux des jours fériés.

LISEZ, COMPRENEZ

3. Lisez le poème de Verlaine. Puis, pour mieux le comprendre, soulignez d'un trait les verbes conjugués à la première personne et de deux traits ceux qui sont conjugués à la troisième personne.

Pour chacun de ces verbes, posez-vous les questions suivantes :

- ☐ qui fait l'action ?
- ☐ quelle est l'action ?

4. Relevez dans le poème les termes qui évoquent :

- ☐ des bruits,
- ☐ la saison,
- ☐ le temps qui passe.

À VOUS...

5. Parmi les mots suivants, dont le sens est voisin, lequel préférez-vous pour parler de ce poème ?
Regret, tristesse, nostalgie, résignation.

- ☐ Expliquez votre choix.

6. Lisez le poème **à haute voix**. Puis, en observant les lettres attribuées aux vers de la première strophe, continuez avec les vers de la 2e et de la 3e.

Si vous aimez ce poème, apprenez-le par cœur.
Sachez que la plupart des Français en connaissent au moins la première strophe.

SOUS LES MOTS, LA VIE

7. D'après le doc. 1, quelle est la tradition de la Toussaint ?

8. Connaissez-vous le nom des fleurs représentées sur la photo du doc. 1 ?
Évitez d'en offrir à des Français ; pour eux elles évoquent toujours le cimetière.

MOTS SOULIGNÉS : VOIR LEXIQUE

SAVEZ-VOUS QUE...

■ Novembre est le mois du « temps qui passe ». On parle de « **l'automne de la vie** » pour désigner la vieillesse.

■ D'après les statistiques, les Français naissent peu et se marient peu en novembre !

DOC. 1

INFO...

••• En France, avant 1918, le 11 novembre, jour de la Saint Martin, était une grande fête. Saint Martin était le saint le plus populaire ; il a donné son nom à près de 500 villages et à 3 700 églises. Martin est aussi le nom de famille le plus répandu comme vous le prouvera n'importe quel annuaire de téléphone.

De nos jours, saint Martin reste présent dans le langage populaire, notamment dans l'expression « l'été de la Saint-Martin » qui correspond aux derniers beaux jours possibles avant l'hiver.

DOC. 3

■ DESSIN DE JACQUES FAIZANT LE POINT 10-11-1986

DOC. 2

LES CÉRÉMONIES DU 11 NOVEMBRE

■ A Paris, c'est l'émotion de six « poilus » de la Grande Guerre — MM. René Coireau, Maurice Coquillard, Louis Lemaire, Gaston Lebond, Georges Pothier et Victor Talbourdet — qui a surtout marqué les cérémonies organisées à l'Arc de Triomphe pour le 69e anniversaire de l'armistice de 1918. C'est sous les ovations de la foule massée place du Général-de-Gaulle, que les six anciens combattants entre quatre-vingt-dix et quatre-vingt-onze ans ont reçu, des mains du chef de l'État, les insignes de la Légion d'honneur. M. François Mitterrand devait ensuite, debout dans une voiture de commandement, passer en revue les unités disposées autour de l'Arc de Triomphe. L'Élysée a également fait déposer une gerbe sur la tombe du maréchal Pétain.

La mémoire de Georges Clemenceau a été évoquée, mercredi matin, au cours de la messe solennelle célébrée en l'église Saint-Louis-des-Invalides, en présence de M. Jacques Chirac et de la presque totalité du gouvernement. Le ministre de la Défense, M. André Giraud a, de son côté, assisté aux cérémonies organisées dans la clairière de Rethondes (Oise), où fut signé, le 11 novembre, l'armistice qui mettait fin à quatre années de guerre.

■ LE MONDE 13-11-1987

DOC. 4

AGENDA DU MAIRE

Commémoration de l'armistice du 11 Novembre 1918 :
C'est une remarquable cérémonie qu'a conduit le 1er magistrat de la ville le jour du 11 Novembre.
Avec les personnalités locales, les écoliers, la participation de l'Union Musicale et la Clique, de nombreux Marmandais ont répondu à l'invitation de la municipalité et se sont joints aux anciens de la Grande Guerre pour la minute de silence.

■ MARMANDE ACTUALITÉS 1986

2. SOUVENIR

ENTREZ DANS LA PAGE

1. Quelle est, actuellement, la tradition du 11 Novembre ? Est-ce un jour férié ?

2. Dans certains de ces documents, quelle expression utilise-t-on parfois pour désigner la Première Guerre mondiale ?

LISEZ, COMPRENEZ

3. Lisez le doc. 2. Lors des cérémonies du 11 Novembre 1987, qui se trouvait à quel endroit ?
a) Jacques Chirac, alors Premier ministre,
b) Gaston Lebond, ancien combattant,
c) Le chef de l'État, François Mitterrand,
d) Le ministre de la Défense,
1) à Rethondes,
2) à l'église Saint-Louis des Invalides,
3) à l'Arc de Triomphe.

4. Les cérémonies organisées à la mémoire de quelqu'un sont généralement silencieuses.
D'après le doc. 2, dites à quel moment la foule n'est pas restée silencieuse.

5. Doc. 4. Quels sont les différents groupes qui assistent à la cérémonie dans cette petite ville de province ?

6. Pour mieux comprendre l'humour de la bande dessinée, répondez aux questions suivantes :

□ À quelle date ce « poilu » reçoit-il la lettre de sa femme ?
□ Qui a dit à Marthe que la guerre allait durer encore longtemps ?
À votre avis, pour quelle raison ?

À VOUS...

7. Fin novembre 1918, Édouard rentre chez lui :
imaginez et décrivez la scène.

SOUS LES MOTS, LA VIE

8. Dans votre pays, quels sont les jours de victoire nationale qui sont fériés ?

9. Le doc. 2 est un petit cours d'histoire de France.
Que vous a-t-il appris ?

MOTS SOULIGNÉS : VOIR LEXIQUE

SAVEZ-VOUS QUE...

■ Autrefois, les femmes qui, à 25 ans, n'étaient pas encore mariées étaient appelées les « **catherinettes** », et le 25 novembre, jour de la **Sainte-Catherine**, on organisait un bal... sans doute pour les aider à trouver un mari ! Aujourd'hui, la Sainte-Catherine est marquée par un tirage spécial de la **Loterie nationale**, institution populaire gardienne des traditions calendaires.

DOC. 1

TAHAR BEN JELLOUN

■ A 43 ans, l'écrivain Tahar Ben Jelloun s'est vu décerner le prix Goncourt 87 pour « La nuit sacrée » (au Seuil), qui est la suite de son précédent roman « L'enfant de sable ».
Dans son appartement parisien, il a reçu nos reporters Jean-François Chaigneau et Jean-Claude Deutsch.

Ce prix Goncourt va-t-il changer votre vie ?
Je ne le crois pas, parce que je continuerai à écrire. Et tant que j'écrirai, rien ne sera jamais très différent. J'avais déjà un public d'une

fidélité remarquable. Avec ce prix, je vais augmenter ce public, mais je doute que je pourrai fidéliser ce plus grand nombre. Ce qui va changer, c'est plutôt symboliquement le regard de la France à l'égard du Maghreb et des immigrés...

Pourquoi avoir choisi d'écrire en français ?
Chez moi, à Tanger, on parlait l'arabe et à l'école primaire bilingue on parlait et on écrivait en français. J'avais dix ans à l'époque et j'ai donc imaginé que la langue arabe était faite pour parler dans la rue, pour communiquer, et le français pour l'imagination et la création littéraire. Alors, naturellement, j'ai commencé à écrire en français. Pour moi, c'était plus facile...
...Je raconte l'imaginaire maghrébin aux Français et je dis aux Maghrébins ce qu'est la culture française en utilisant sa langue. C'est ma façon de vouloir le dialogue de paix entre les uns et les autres.

■ PARIS-MATCH
NOVEMBRE 1987

DOC. 2

LA COTE LITTÉRAIRE DES LAURÉATS DU GONCOURT

■ L'équipe de Lire a tenté d'établir la cote littéraire des quarante-trois prix Goncourt décernés depuis la fin de la guerre...

...En premier lieu, les qualités de style, d'originalité, d'intérêt propres à chaque œuvre ; ensuite, l'écho rencontré auprès de la critique et du public, à l'époque et depuis.

...Ces romans-là (entre autres) ont vu leur public se renouveler au fil des années, et figurent dans les histoires littéraires.

BONNE

1947 / JEAN-LOUIS CURTIS
Les forêts de la nuit, Julliard

1949 / ROBERT MERLE
Week-end à Zuydecoote, Gallimard

1954 / SIMONE DE BEAUVOIR
Les mandarins, Gallimard

1956 / ROMAIN GARY
Les racines du ciel, Gallimard

1956 / EDMONDE CHARLES-ROUX
Oublier Palerme, Grasset

1967 / A.-P. DE MANDIARGUES
La marge, Gallimard

1969 / FÉLICIEN MARCEAU
Creezy, Gallimard

1978 / PATRICK MODIANO
Rue des boutiques obscures, Gallimard

EXCELLENTE

1952 / BÉATRIX BECK
Léon Morin, prêtre, Gallimard

1959 / ANDRÉ SCHWARZ-BART
Le dernier des justes, Seuil

1971 / JACQUES LAURENT
Les bêtises, Grasset

1975 / ÉMILE AJAR
La vie devant soi, Mercure de France

1984 / MARGUERITE DURAS
L'amant, Minuit

EXCEPTIONNELLE

1951 / JULIEN GRACQ
Le rivage des Syrtes, Corti (prix refusé)

1970 / MICHEL TOURNIER
Le roi des aulnes, Gallimard

■ LIRE NOVEMBRE 1987

3. DISTRIBUTION DES PRIX

ENTREZ DANS LA PAGE

1. Dans cette page, y a-t-il des noms d'écrivains français que vous connaissez ?

LISEZ, COMPRENEZ

2. En 1987, le prix Goncourt, prix littéraire français le plus prestigieux, a été attribué à Tahar Ben Jelloun. Avant cela, celui-ci était-il un écrivain inconnu ?

3. De quelle culture et de quel pays est-il originaire ?

4. Écrire en français a-t-il été un choix véritable de sa part ?

À VOUS...

5. Lisez le doc. 2 et donnez un titre au 2e paragraphe.

6. Vous arrive-t-il de passer d'une langue à une autre ?

☐ Avec qui ?
☐ Pour quelles raisons ?

SOUS LES MOTS, LA VIE

7. Certaines des œuvres littéraires citées dans le doc. 2 ont-elles été traduites dans une langue que vous connaissez ?

8. Quel est le prix littéraire international le plus célèbre ?

MOTS SOULIGNÉS : VOIR LEXIQUE

SAVEZ-VOUS QUE...

■ Tous les **prix littéraires français** sont attribués en novembre ! le prix Goncourt, le prix Renaudot, le prix Femina et le prix Interalliés.

■ La **vignette** doit être achetée par les automobilistes et collée sur leur pare-brise avant la fin du mois ;
c'est un impôt dont le but originel était de financer un fonds national pour les vieux.

■ Les Français attendent le moment où apparaissent sur les vitres des cafés les affichettes traditionnelles : « **Le beaujolais nouveau est arrivé** ».
Chaque année, le troisième jeudi de novembre, le « nouveau-né » déferle sur le monde entier ;

on le déguste aussi bien sur le zinc des bistrots de quartier que dans les cafés prestigieux comme le Café de la Paix, le Flore ou les Deux Magots !

LE PÈRE NOËL EXISTE JE L'AI RENCONTRÉ

Vous y croyez, vous, au Père Noël ? Moi, oui... car je l'ai rencontré. Et en voici les preuves... Par Dominique Desouches.

En France seulement, le Père Noël reçoit plus de 300 000 lettres. Les adresses sont déjà un poème : « Père Noël, poste volante », « route des étoiles », « nuage principal à droite de la Grande Ourse »...

Les uns lui écrivent......... : *« Je vous ai vu dans la rue mais je n'ai pas osé vous parler... »*
Les autres prennent leurs......... : *« Je t'écris pour te demander si tu passes encore chez nous cette année. »*
Ou encore : *« Je te signale que le 25 au matin, je ne serai pas chez moi mais chez ma mémé. »*
Certains... : *« Fais gaffe à la cheminée, elle est trop petite, passe plutôt par le balcon, je te prépare un bon rhum... »*

Après ces entrées en matière, viennent les choses sérieuses.
Les commandes sont souvent très......... : *« Je veux le camion référence 96379 »*, ou......... : *« Il me faudrait une bonne raquette pour battre Mac Enroe. »*
Il y a aussi les......... : *« Je voudrais toute la base des robots avec le sous-marin, le train, le bulldozer, la voiture turbo-électrique, etc. »* Et les grands seigneurs : *« Apporte ce que tu veux... »*
On fait aussi des......... : *« Si tu m'envoies une moto, un revolver et des pétards, je ne ferai plus pipi au lit. »*
Certains enfants se montrent même très......... : *« Je ne veux rien d'autre que la paix dans le monde » ; « n'oublie pas de donner un de mes jouets à un petit malheureux. »*
« Chaque année le volume du courrier augmente de 10 % », s'exclame M. Brayac, le responsable du centre de tri de Libourne.
Au cas où ces preuves écrites ne suffiraient pas, les voici maintenant en chair et en os, sous les apparences d'un jeune homme à la barbe blanche. Chaque année, Hervé déserte le réveillon familial pour assurer le service Père Noël de la société Gag-à-gogo. Il distribue les cadeaux puis s'éclipse « car constate-t-il, un peu amer, dès que les paquets sont ouverts, plus personne ne s'intéresse au Père Noël. Mais l'accueil des enfants est merveilleux, précise-t-il. Ils me font visiter tout l'appartement. Ils me demandent des nouvelles de ma femme (la « Mère Noël » semble les intriguer beaucoup). Ils me supplient de passer chez leurs copains. Quant aux « grands », ils donnent l'impression d'avoir la berlue. Comme personne ne manque dans la famille, ils ne comprennent pas. Ils essaient de deviner méthodiquement qui je peux bien être ! ».
Vingt pères Noël effectuent ainsi chacun une dizaine de visites sur commande le soir du 24 décembre pour le seul compte de Gag-à-gogo. Ils gagnent 500 F pour la nuit, pourboires confortables en sus.
Côté cadeaux, leur découverte reste toujours magique puisqu'on les dépose dans les souliers au lieu de les donner de la main à la main.
Contrairement à ce que l'on pourrait croire, ce ne sont pas les jouets qui encombrent le plus la hotte. Selon une très intéressante enquête de l'INSEE, ils ne viennent qu'en deuxième position derrière les vêtements et la maroquinerie. Ils sont suivis de près par l'argent liquide, les objets pour décorer la maison, le mobilier, puis les chocolats, l'alcool et le tabac et enfin les livres, disques, cassettes, les parfums...

NOËL, C'EST...
11 millions de sapins
25 000 tonnes de chocolat
50 000 tonnes d'huîtres
15 tonnes de dindes
5,5 millions de poupées
300000 lettres au Père Noël

Le réveillon, c'est assurément la tradition à laquelle la majorité des Français se disent le plus attachés.
Le passage du Père Noël ne se conçoit pas sans un festin pantagruélique, dévoré en famille.
Le menu en est immuable. Il doit se composer, selon un sondage de notre confrère le *Chasseur français*, d'huîtres, d'escargots, de dindes (quatre millions de ces volailles vont atterrir bien rôties sur nos tables). Sans oublier la bûche, pour terminer...
Malgré toutes ces manifestations de joyeux paganisme, Noël reste pour beaucoup d'entre nous une fête religieuse même si les apparences commerciales occupent le devant de la scène.
A cette occasion, on voit se multiplier les gestes de partage ou d'accueil, difficilement comptabilisables car on ne les crie pas sur les toits.
Mais pour ce que l'on peut plus facilement dénombrer, précisons que 120 000 visiteurs, par exemple, sont venus admirer l'an dernier la crèche de l'Hôtel de Ville de Paris.
A Notre-Dame, 6 000 fidèles assisteront à la messe de minuit, soit trois fois plus qu'à l'ordinaire. Et les autres églises de France seront aussi, cette nuit-là, plus pleines que d'habitude.
L'enfant Jésus et le Père Noël font donc bon ménage...

■ MARIE FRANCE
DÉCEMBRE 1986

4. ET POUR VOUS, NOËL ?

ENTREZ DANS LA PAGE

1. Lisez le sous-titre de l'article commençant par : « Noël, c'est... » et comparez cette liste à celle des mots clés de la page 68.

2. Lisez rapidement l'ensemble du texte en cherchant d'autres mots clés de la page 68.

LISEZ, COMPRENEZ

3. Voici les mots qui ont été effacés dans les lignes 1 à 49. Replacez-les.

a) ambitieuses
b) boulimiques
c) généreux
d) s'inquiètent
e) précautions
f) précise
g) promesse
h) respectueusement

4. D'après cet article, quels sont, dans l'ordre décroissant, les cinq cadeaux le plus souvent offerts, en France, à Noël ?

5. Vrai ou faux ?
La société Gag-à-gogo :
a) offre des cadeaux aux pauvres,
b) paie un faux Père Noël pour apporter les cadeaux que la famille a achetés,
c) envoie des cadeaux par la poste.

À VOUS...

6. Quelque chose, qui **intrigue,** c'est :
a) quelque chose qui éveille la curiosité,
b) quelque chose qui ennuie,
c) quelque chose qui étonne.

Avoir la berlue
a) être venu trop tôt,
b) ne plus savoir compter,
c) être victime d'hallucinations.

Ils font bon ménage
a) ils partagent les travaux de la maison,
b) ils ont de bonnes relations,
c) ils font bien le ménage.

7. « Vous y croyez, vous, au Père Noël ? »
Observez cette phrase et faites-en d'autres du même type.
Exemple : « Tu y vas, toi, ce soir, chez Pascale ? »
Imaginez les situations dans lesquelles vous prononceriez ces phrases.

SOUS LES MOTS, LA VIE

8. Dans votre pays quelles sont les fêtes dont la tradition est d'offrir des cadeaux ?
Quel type de cadeaux ? à qui ?

MOTS SOULIGNÉS : VOIR LEXIQUE

SAVEZ-VOUS QUE...

■ Les enfants d'Europe ne recoivent pas tous leurs **cadeaux** du Père Noël, et pas tous le 25 décembre.
En effet, dans les pays du Benelux c'est **Saint Nicolas** qui passe le 5 décembre, en Grèce c'est **Saint Vassilis** qui passe le 31 décembre et en Espagne ce sont **les Rois Mages** qui passent le 6 janvier...

DOC. 1

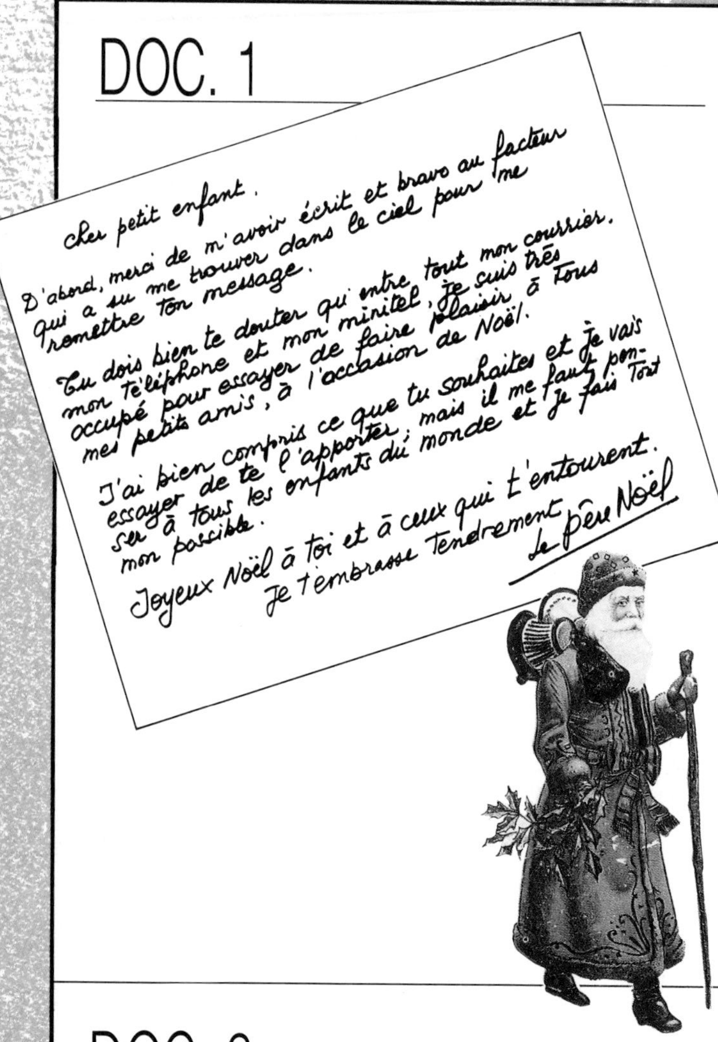

Cher petit enfant.

D'abord, merci de m'avoir écrit et bravo au facteur qui a su me trouver dans le ciel pour me remettre ton message.

Tu dois bien te douter qu'entre tout mon courrier, mon téléphone et mon minitel, je suis très occupé pour essayer de faire plaisir à tous mes petits amis, à l'occasion de Noël.

J'ai bien compris ce que tu souhaites et je vais essayer de te l'apporter, mais il me faut penser à tous les enfants du monde et je fais tout mon possible.

Joyeux Noël à toi et à ceux qui t'entourent.

Je t'embrasse tendrement

Le Père Noël

DOC. 2

OFFRE SPÉCIALE D'ABONNEMENT

Le père Noël passe tous les jeudis, je m'abonne à *l'Événement du jeudi*.

Ma mère m'offrira ma trente-deuxième cravate, mon père un flacon d'eau de toilette (sur une idée de ma mère) et mon meilleur ami, 500 g de chocolats. Bon. C'est original. Moi, je sais déjà ce que je vais m'offrir. A moi. Et pour moi tout, seul. Devinez : pour 750 F les 52 numéros ou pour 390 F les 26 numéros, qu'est-ce qui est blanc, épais, intéressant et nouveau, et qui me fait réaliser une économie de 290 F ou de 130 F ? Vous avez compris : tous les jeudis je me remettrai à croire au Père Noël.

BULLETIN D'ABONNEMENT

Je suis d'accord, je m'abonne à *l'Evénement du jeudi*.
Je recevrai chaque semaine *l'Evénement du jeudi* à mon domicile.
Je joins un chèque de ☐ **390 francs pour 26 numéros (étudiant 351 F contre justificatif).**
☐ **750 francs pour 52 numéros) (étudiant 675 F contre justificatif).**
Pays étrangers : nous consulter.

M. Mme Mlle ______________________ Prénom ______________

Résidence/Escalier/Bâtiment ______________________

Numéro ________ Rue/Avenue/Lieu-dit ______________________

Commune ______________________ Code postal ______________

A retourner sous enveloppe affranchie à *l'Evénement du jeudi*, service abonnements, 2, rue Christine, 75280 Paris Cedex 06.

DOC. 3

OFFRE ET PARRAINAGE

Soyez un vrai Père Noël pour votre ami(e), abonnez-le(la) à *l'Événement du jeudi*.

Noël, c'est toujours la corvée des cadeaux : quoi offrir qu'il ou elle n'ait déjà ? Et qui soit original ? Et qui fasse plaisir ? *L'Événement du jeudi*, bien sûr. Un hebdo qui lui fera regarder 1986 avec un œil nouveau, curieux, passionné. Alors, abonnez un(e) de vos amis(es) pendant 3 mois à *l'Événement du jeudi* pour 195 F les 13 numéros. Ce qui vous fera une économie de 65 F (mais ça, vous ne le lui direz pas). C'est un Noël dont il (elle) se souviendra longtemps.

BULLETIN D'ABONNEMENT

JE SUIS UN BON PERE NOEL !!!

Je désire abonner :

M. Mme Mlle ______________________ Prénom ______________

Résidence/Escalier/Bâtiment ______________________

Numéro ________ Rue/Avenue/Lieu-dit ______________________

Commune ______________________ Code postal ______________

A retourner sous enveloppe affranchie à *l'Evénement du jeudi*, service abonnements, 2, rue Christine, 75280 Paris Cedex 06.

Il recevra pendant 3 mois *l'Evénement du jeudi* à son domicile.
Je joins un chèque de 195 F pour 13 numéros.

DOC. 4

INFO...

••• Les 458 000 lettres, colis et imprimés en perdition chaque année aboutissent à Libourne (Gironde), au Centre de recherches du courrier. Toutes les lettres au Père Noël y sont centralisées.
Vingt-cinq personnes dont seize auxiliaires embauchées pour la période des fêtes ouvrent le courrier, notent les adresses et expédient quand c'est possible des cartes-réponses. A de rares exceptions, ce sont des femmes qui assurent le courrier du Père Noël. Cette opération a débuté en 1964 à l'initiative de quelques employés du service des rebuts alors situé à Paris.
Depuis 1967 le service du Père Noël est implanté à Libourne. Le succès est foudroyant.
En 1984, 281 000 lettres reçues, 140 000 cartes individuelles expédiées et 143 000 autres envoyées à 5 980 écoles. Cette année les PTT s'attendent à frôler les 300 000 lettres...

■ HUMANITÉ DIMANCHE
22-12-1985

5. SACRÉ PÈRE NOËL !

ENTREZ DANS LA PAGE

1. Recherchez dans le doc. 4 des informations sur le véritable auteur et destinataire de la lettre (doc. 1).

2. Comparez les titres des doc. 2 et 3 puis dites quel nom et quelle adresse doit inscrire le lecteur dans chacun des deux bulletins.
De quel genre de documents s'agit-il ?

LISEZ, COMPRENEZ

3. Lisez le texte du doc. 2 : « Ma mère... ».
Quel mot caractérise le mieux la personne qui parle :
☐ angoissée, ironique, sérieuse, triste.

4. Parmi les arguments publicitaires suivants, deux ne sont pas utilisés, lesquels ?
a) Un abonnement à « L'Événement du jeudi » est un cadeau original.
b) En ce moment, c'est moins cher que d'habitude.
c) Après la période des fêtes, vous ne pourrez plus vous abonner ou abonner quelqu'un.
d) C'est un cadeau de Noël qui fera vraiment plaisir.
e) Pour un abonnement de six mois, vous recevrez gratuitement une boîte de chocolat.

À VOUS...

5. Le mot « corvée » désigne généralement quelque chose d'ennuyeux, de pénible ou de difficile à faire.
En vous aidant du contexte, expliquez « la corvée » des cadeaux (doc. 3).

6. Dans le doc. 2, vous lisez :
« **Qu'est-ce qui est** blanc, épais, intéressant et nouveau **et qui** me fait réaliser une économie ? »
La structure de phrase en gras est souvent celle des devinettes.
Connaissez-vous des devinettes ?
☐ en français, lesquelles ?
☐ dans votre langue, traduisez-les.

SOUS LES MOTS, LA VIE

7. Relisez le doc. 2 : « Ma mère m'offrira... ».
À votre avis, la personne qui parle est plutôt :
☐ un homme ou une femme ?
☐ jeune ou vieux (vieille) ?
☐ marié(e) ou célibataire ?
Qu'est-ce qui vous l'indique dans le texte ?

8. Parmi les informations contenues dans le doc. 4, quelles sont celles qui vous étonnent le plus ? Pourquoi ?

MOTS SOULIGNÉS : VOIR LEXIQUE

SAVEZ-VOUS QUE...

■ **Décembre** est le mois des jours les plus courts.

■ C'est aux États-Unis, au XIXe siècle, que les communautés d'anciens européens ont imaginé le **Père Noël** sous son apparence actuelle.
De nos jours, l'uniformisation du mythe continue de progresser dans le monde, au rythme de celle des médias.

DOC. 1

RÉVEILLONS

■ Noël de bords de mer
Des fêtes de fin d'année parfaitement brillantes, raffinées et gourmandes.

• Charme romantique au Normandy à Deauville. Pour Noël la chambre est fleurie d'orchidées et le champagne au frais. La nuit de Noël, dans le décor argenté de la salle à manger, vous dégusterez de sublimes et légères compositions de Jean-Jacques Baise, entre autres : le pot-au-feu de homard et saint-jacques, l'intermède glacé au marc de gewurztraminer... le tout accompagné d'un orchestre de jazz (forfait : 990 F par personne en chambre double. Réservations : tél. : 31 88 09 21).

■ Noël de rêve
en bleu au Majestic à Cannes, autour de la piscine, dans la douceur hivernale. Face à la Méditerranée, bleu de l'eau et l'eau à la bouche pour un dîner de fête révélé par son talentueux chef Claude Morel, qui commence par une gourmandise de noix de saint-jacques aux queues d'écrevisses, et se termine par une bûche glacée aux marrons et praliné (forfait 2 jours : 2 432 F par personne. Rés. tél. : 93 68 91 00).

■ Réveillon
dans la grande tradition au Castel, Marie-Louise à La Baule. Dans le cadre très douillet de ce Relais et Châteaux, le Père Noël viendra lui-même offrir des cadeaux aux enfants et vous servir le petit déjeuner champagne au lit. Au menu du réveillon, une soupe aux truffes noires, un salmis de magret d'oie fumé et copeaux de foie gras et bien d'autres douceurs (forfait chambre et petit déjeuner pour deux : 680 F + 460 F par personne pour le repas du réveillon. Rés. : tél. : 40 60 20 60).

■ Noël tropical
Noël, nouvel an dans la douceur tropicale de la Guadeloupe, mais à la vitesse Concorde. Paris-Pointe-à-Pitre en 5 heures et 40 min à 2 200 km/h par Concorde, et un exotique réveillon à l'hôtel Méridien. Deux formules au choix, 9 ou 15 jours : Noël ou nouvel an, à partir de 18 950 F par personne, transport et hébergement compris. Dates pour Noël : départ le 13 décembre retour le 27 décembre, ou départ le 19 décembre retour le 27 décembre. Pour le nouvel an : départ le 27 décembre, retour le 1er ou le 4 janvier. Il reste encore quelques places. (Renseignements : Aircom, 93, rue de Monceau, 75008 Paris. Tél. : 45 22 86 46.)

■ ELLE 8-12-1986

DOC. 2

NOEL AU BALCON PAQUES AUX TISONS

DOC. 3

INFO...

••• Radio-France-Picardie : gastronomie.

A Radio-France-Picardie, on n'oublie pas que les fêtes de fin d'année se déroulent souvent autour d'une bonne table. La gastronomie picarde sera à l'honneur à partir du 22 décembre. Une émission quotidienne permettra aux auditeurs d'interroger les élèves de l'école hôtelière d'Amiens. Et les chefs restaurateurs de la région interviendront sur l'antenne pour livrer certains de leurs secrets culinaires.

■ LE MONDE RADIO TV 1986

DOC. 4

— Vous avouerez que c'est une drôle d'idée d'aller à la messe de minuit un soir de réveillon !

■ DESSIN JACQUES FAIZANT

MENU DE FÊTE

La dinde farcie désormais traditionnelle.

Ingrédients pour 8 personnes :

■ une belle dinde (3 à 4 kg), 150 g de foies de volailles,
■ 1 tranche de jambon blanc,
■ 3 échalotes, 50 g de margarine,
■ 250 g de champignons de Paris, 2 petits-suisses,
■ 3 cuillères à soupe d'armagnac, sel, poivre, huile,
■ 2 grosses boîtes de marrons, une truffe.

■ Faites revenir rapidement le foie de la dinde et les foies de volaille, retirez-les du feu et hachez-les.

■ Dans la poêle, mettez à cuire les échalotes, les champignons hachés et le jambon découpé très menu : lorsque le mélange est cuit, salez, poivrez et ajoutez l'armagnac, les petits-suisses, la truffe hachée et quelques marrons en morceaux.

■ Malaxez bien hors du feu, puis farcissez la dinde de ce mélange.

■ Avec une grosse aiguille, recousez les ouvertures.

■ Badigeonnez-la d'huile et mettez-la à four moyen (20 minutes par livre).

■ En fin de cuisson, ajoutez les marrons autour et laissez réchauffer 5 à 7 minutes.

■ LES FÊTES LAFFOND

6. NOËL À BOIRE ET À MANGER

ENTREZ DANS LA PAGE

1. Relevez tous les noms de villes mentionnés dans cette page.

LISEZ, COMPRENEZ

2. « Noël au balcon, Pâques au tison. » Ce dicton exprime-t-il
☐ un regret, une prévision, un souvenir ?

3. Quels réveillons choisiront-ils ?
1) Ils habitent à Lille où il fait froid depuis 2 mois. Ils disposent de 5 000 F pour passer Noël en amoureux dans une région au climat plus doux.
2) Ils veulent passer Noël avec leurs enfants en respectant la tradition. Ils ont de l'argent et souhaitent pendant deux jours se faire servir luxueusement.
3) Il est célibataire. Il aime le dépaysement et le soleil. Il ne manque ni de temps, ni d'argent.
4) Ils veulent fêter Noël à deux, dans un hôtel raffiné où ils pourront satisfaire leur gourmandise et leur passion pour le jazz.
5) À la télévision, ils ne ratent jamais le reportage sur le Festival. Ils connaissent la vie de tous les acteurs célèbres. Ils veulent passer Noël comme au cinéma.

4. Pour réussir la recette de la dinde farcie il faut la lire avec attention ! Entraînez-vous en faisant correspondre les chiffres et les lettres.
Exemple : 13... e) et f)

1. Ajouter...
2. Badigeonner...
3. Découper...
4. Farcir...
5. Hacher...
6. Malaxer...
7. Mettre à cuire...
8. Mettre au four...
9. Poivrer...
10. Recoudre...
11. Retirer du feu...
12. Saler...
13. Faire revenir...

a) l'armagnac
b) les champignons
c) la dinde
d) les échalotes
e) le foie de la dinde
f) les foies de volaille
g) le jambon
h) les marrons
i) le mélange
j) les ouvertures
k) les petits-suisses
l) la truffe

À VOUS...

5. Les Français ont la réputation d'aimer la bonne cuisine.
Pour en savoir plus sur le sujet, préparez les questions que vous aimeriez poser, sur Radio-France - Picardie,
☐ aux élèves de l'école hôtelière,
☐ aux chefs restaurateurs,
☐ aux auditeurs de l'émission.

SOUS LES MOTS, LA VIE

6. Donnez des exemples de superstitions qui marquent la vie quotidienne en France et dans votre pays.

MOTS SOULIGNÉS : VOIR LEXIQUE

SAVEZ-VOUS QUE...

■ L'on chante « **Petit Papa Noël** » et « **Mon beau sapin** ».

■ Bien que le budget consacré à l'**alimentation** ait diminué (36 % en 1959, contre 20 % en 1987) ainsi que la durée des repas, les Français passent en moyenne **deux heures par jour à table.**

DOC.

UN NOËL RATÉ

1 Chaque année, quand Noël approche,
la Mère Noël est bien agitée !
Même la nuit, dans son lit,
5 elle n'arrête pas de parler :
— Est-ce que j'ai pensé à François ?
Où j'ai fourré le cadeau de Marie !
10 Je ne vais jamais y arriver,
je sens que Noël va rater !
La pauvre, elle est débordée,
c'est elle qui fait tous
les paquets,
15 il n'y a personne pour l'aider !
Pendant qu'elle prépare les cadeaux,
le Père Noël, lui,
20 se prépare à être beau.
Il se fait un shampooing,
il se prend un bon bain.
Il lave son pantalon,
il cire son ceinturon,
25 et puis surtout il se repose
pour avoir le teint frais et rose.
Le soir, quand la Mère Noël
le retrouve sur l'oreiller,
30 elle lui demande :
— Dis, mon chéri, tu m'emmèneras !
Oh dis, chéri, promets-le moi !
35 Mais il dit :
— Non, tu es bien trop fatiguée,
tu as besoin de te reposer.
L'an prochain, si tu veux
40 on ira tous les deux.
Ça fait des centaines d'années
qu'il lui promet de l'emmener
et ça fait des centaines
45 d'années
qu'il part tout seul faire
sa tournée.
Alors, cette fois,
la Mère Noël en a assez
50 et la veille de Noël,
quand le Père Noël
se réveille,
c'est elle qui est dans son bain,
55 en train de se faire un shampooing !
Il lui demande :
— Qu'est-ce que tu fais ?
Tu n'as pas fini les paquets !
60 Elle répond : — non ! Tu avais raison,
j'ai vraiment besoin de
me reposer.
65 Tu n'as qu'à les faire, toi,
les paquets !
Le Père Noël est bien embêté,
il ne lui reste plus
70 qu'une journée
et il n'a jamais fait de paquets,
il ne sait même pas
comment on les fait !
75 Le papier collant colle tellement
qu'il s'emmêle les
doigts dedans,
le papier cadeau est froissé,
80 le ruban ne veut pas friser
et le soir, quand il a enfin terminé,
le Père Noël est
tellement énervé
85 que c'est son tour de répéter :
— Je sens que Noël va rater !
Je sens que Noël va rater !
90 A minuit, quand le réveil sonne,
le Père Noël
ronfle bien régulièrement.
La Mère Noël veut le réveil-
95 ler :
— Chéri ! chéri ! tu ne vas pas passer la nuit de Noël
dans ton lit !
Mais rien à faire,
100 le Père Noël est
profondément endormi.
Alors, la Mère Noël se lève,
elle saute dans le pantalon,
elle enfile la veste,
105 elle serre le ceinturon
et : — hue les rennes !
Cette année
c'est la Mère
Noël qui vous emmène !
110 Elle fonce dans la neige et le froid.
Un toit, deux toits,
trois toits.
La Mère Noël
115 chante à tue-tête,
elle crie même dans les cheminées :
— La vie est belle, joyeux Noël !
120 Et puis, sur la pointe
des pieds,
elle va déposer ses
paquets,
sans oublier d'embrasser
125 tous les petits yeux fermés.
Mais le jour se lève déjà,
il ne faut pas
qu'on la voie !
Alors, vite,
130 elle rentre chez elle
pour retrouver son Père Noël.
En arrivant, elle se glisse dans le lit,
135 bien au chaud près de
son mari
et elle lui dit :
— Bien beau Noël cette année !
140 C'est dommage que tu l'aies raté.
Mais l'an prochain, si tu veux,
on portera les cadeaux
145 tous les deux !

MARIE-AGNÈS GAUDRAT
ILLUSTRATION : M. GUIRÉ VAKA
■ POMME D'API DECEMBRE 1985

7. CONTE DE NOËL

ENTREZ DANS LA PAGE

1. Regardez le dessin et lisez les deux premières lignes du texte.
Quel personnage n'appartient pas à la tradition de Noël ?

LISEZ, COMPRENEZ

2. On peut découper ce conte en cinq parties commençant par :
1. Chaque année... 2. Alors, cette fois... 3. À minuit... 4. Cette année... 5. Alors...
Donnez un titre à chacune de ces parties.

À VOUS...

3. Dans le texte, soulignez le verbe « rater » qui apparaît quatre fois, puis faites des phrases en utilisant ses différentes constructions.

4. Quelles différences observez-vous entre les lignes 23, 24 et 103, 104, 105 ?
Expliquez ces changements.

5. Lisez attentivement les lignes 12 à 16.
Si vous mettez les phrases au masculin, vous pouvez replacer ces trois lignes à un autre endroit du texte.
À quel endroit ?

SOUS LES MOTS, LA VIE

6. Ce conte est paru dans une revue pour enfants de 3 à 7 ans.
La plupart du temps c'est un adulte qui le lit aux enfants.
Lisez-le **à haute voix**.
Que remarquez-vous ?

7. Regardez le nom de l'auteur.
Êtes-vous surpris que ce conte ait été écrit par une femme ?
Pour quelles raisons ?

8. Dans votre culture y a-t-il des personnages imaginaires qui jouent un rôle dans certaines fêtes ?

MOTS SOULIGNÉS : VOIR LEXIQUE

SAVEZ-VOUS QUE...

■ La masse d'argent qui circule au moment des fêtes augmente les convoitises, c'est ainsi que décembre est le mois vedette pour **les vols à main armée**.

RÉPONSES

JANVIER • FÉVRIER

1. RÉVEILLON

1. Champagne, fête, gui, réveillon.

2. Ils font la fête dans la rue, à la maison ou dans des restaurants, ils réveillonnent, ils s'embrassent sous le gui en se souhaitant une bonne année.

3. Des solitaires, des malades, des marginaux, des personnes âgées, des gens déçus par un réveillon qui ne se passe pas bien, des gens qui ne veulent pas faire la fête, des jeunes qui n'ont pas encore l'autorisation de sortir, des fanatiques de télévision.

6. Non puisqu'il donne une image très négative de ces personnages : ils sont laids et ils ont l'air de s'ennuyer.

7. Le poste, le petit écran et la télévision.

8. Un homme profite de la tradition pour embrasser des femmes inconnues, dans la rue ; il s'est muni d'une branche de gui.

10. Restaurant plus lent.

2. BONNE ANNÉE

2. doc. 1.

3. e, doc. 1 ; d, doc. 3 ; c, doc. 2.

4. a) la rédaction de « Marie-France » à ses lectrices. **b)** vous, vous.

5. 1, d ; 2, c ; 3, f ; 4, e ; 5, g ; 6, b ; 7, i ; 8, h ; 9, a ; 10, j.

6. Bonne année, bonne santé.

7. Des femmes de plus de 18 ans.

3. CRÊPES ET ROIS

1. La famille à table illustre l'Épiphanie, le 6 janvier ; l'homme qui fait des crêpes, la Chandeleur, le 2 février.

2. Les trois rois bibliques Melchior, Balthazar et Gaspar.

3. Le petit garçon, au bout de la table ; il porte la couronne du roi et il veut en retirer le privilège de manger les parts de galette de ses frères.

4. a, 2 ; b, 3 ; c, 1.

4. FAITS D'HIVER

1. Faits divers.

2. Les fêtes de Carnaval (entre l'Épiphanie et la veille du début du Carême, c'est-à-dire le Mardi-gras, 46 jours avant Pâques) et les vacances d'hiver.

3. Païennes : ... dans tout le monde païen... ; Religieuses : ... fête chrétienne... ; Extraverties : il fait rire, danser... ; Libertés : dans la mascarade, l'homme trouve la liberté... ; Masqué : derrière le masque...

4. a) 24,9 % de la population, dont une forte majorité de citadins. b) de 17,1 % en 1975, on passe à 24,9 % en 1985, dont 8,8 % seulement vont aux sports d'hiver. c) pas de chiffres concernant les ouvriers mais les habitants des communes rurales (16,1 %) incluent les agriculteurs. d) 8,8 % représente un peu plus d'un tiers de 24,9 %.

5. Le ski et le festival du Film fantastique.

6. « Comment trouvez-vous Avoriaz ? »

7. C'est le moment de l'année où, dans les zones tempérées, le jour et la nuit sont d'égale longueur. Il y a deux équinoxes par an, le 21 mars et le 21 septembre.

5. LA SAINT-VALENTIN

1. Doc. 2 et 3.

2. Les amoureux trouvent un moyen de leur choix de manifester leur amour à l'autre (*cf.* doc. 2).

3. Gui aime Lou. Soit : Guillaume Apollinaire et Louise de Coligny-Châtillon.

4. a) d'Angleterre ; b) le valentinage ; c) Charles d'Orléans ; d) c'était aussi la marque d'une période de fiançailles débouchant souvent sur un mariage.

5. Les messieurs ET les dames (l. 5-6) ; au valentin ET à la valentine (l. 14) ; ... ET on l'a totalement oublié (l. 20).

6. Exemple de réécriture : ... Vous savez que le poète français Charles d'Orléans est resté prisonnier en Angleterre pendant près de 25 ans. C'est là-bas qu'il a été séduit par cette coutume. À son retour en France il en a parlé et le valentinage s'est pratiqué en France pendant des siècles. Les valentins et les valentines recevaient des cadeaux et pendant une année, ils étaient considérés comme des fiancés qui se devaient fidélité. Très souvent tout cela se terminait par un mariage. Puis, un beau jour, ce rite est tombé en désuétude et on l'a totalement oublié.

7. Au doc. 1, en particulier aux derniers mots « Dites-le avec des fleurs ». Cette B.D. pourrait être une publicité pour les fleuristes.

9. Armure + amour ; sentimental + menteur.

MARS • AVRIL

1. C'EST QUAND, PÂQUES ?

1. Car elle détermine la date de plusieurs autres fêtes (*cf.* doc. 2).

2. D'ici, le, le, même, ici, au.

3. De 1987 ; *cf.* date de l'article.

4. Exceptionnellement, la date de Pâques était la même dans toutes les religions chrétiennes.

5. a) le titre de l'article s'inspire du dicton « Chacun voit midi à sa porte » qui signifie que les gens se comportent de façon égoïste. La photo représentant un cadran solaire qui, par définition, donne la même heure à tout le monde s'oppose au contenu du petit texte qui l'accompagne.

2. DES ŒUFS ET DES CLOCHES

1. L'agneau.

2. Un œuf au plat ; une salière ; sympathiques puisqu'elles sauvent un naufragé.

3. Sa composition : phosphore, magnésium, fer, vitamines ; le goût des Aztèques pour le chocolat ; ses proriétés aphrodisiaques, euphorisantes, excitantes ; son introduction en France en 1615.

4. Des parrains ou marraines, des villageois, des parents, puis actuellement des cloches.

5. a) chocolat, déguster, confiseur, goût, nourriture, saveur b) couvée, fécondité, éclore, lièvre, œuf, pondre, progéniture.

3. COQUILLES, COQUILLES

1. Doc. 2.

2. Le Monde, la Marseillaise, le Provençal, le Matin.

3. 1, a ; 2, g ; 3, c ; 4, f ; 5, d ; 6, a ; 7, h ; 8, e.

4. a) cinq personnes ne sont pas un couple ; b) augmentation est le contraire de baisse : ce n'est pas logique ; c) la nuit du 19 au 30 n'existe pas ; d) il manque une virgule après menace, ce qui peut faire comprendre qu'il a été menacé de billets ! ; e) Pape et non pope ; f) le sinistre et non le ministre.

5. rare/mare ; mare/masse ; masse/casse ; bien/tiens... etc.

4. WEEK-END DE PÂQUES

1. Pâques tombait le 30 mars en 1986 et le 19 avril en 1987.

2. Les cloches et l'œuf.

3. Les cloches désignent les imbéciles, *cf.* lexique culturel.

4. c).

5. [wa] de vOIture devient [ã] dans avANture.

6. du... au ; les week-ends du... ; samedi ; dès ; plus tard ; tout l'après-midi ; aux environs de... ; en fin de matinée... etc.

7. De gauche à droite : c, a, d, b.

8. Le mercredi puisqu'il faut jouer au plus tard mardi.

5. POISSON D'AVRIL

2. *Cf.* lexique.

3. A, e ; B, b et f ; C, a et g ; D, d ; E, c.

7. Monumental + mensonge.

MAI • JUIN

1. JOLI MAI !

1. Le muguet et le défilé de rue.

2. Fixes : 1er mai et 8 mai ; mobiles : Ascension et lundi de Pâques.

3. L'Ascension.

4. Le muguet est blanc, « rouge sang » évoque les victimes de la répression aux États-Unis, en 1886.

6. Faire beaucoup de victimes de la route.

7. La dernière.

9. Le plus long : ceux des Caisses d'allocations maladies ; le plus court : ceux de la presse et des musées n'ont pas eu de congés particuliers.

10. Ce qui porte malheur : passer sous une échelle, être 13 à table, ouvrir un parapluie dans une maison, poser un pain à l'envers, etc.
Ce qui porte bonheur : le trèfle à quatre feuilles, marcher dans une crotte de chien, etc.

2. LA FÊTE DES MÈRES

1. et **2.** Non, car c'est toujours un dimanche, mais la date varie.

3. Doc. 1 : commentaire, doc. 2 : informations, doc. 3 : titres de presse, doc. 4 : critique littéraire, doc. 5 : publicité.

4. L'héroïne du roman intitulé « Fête des Mères ».

5. Il apparaît que..., se déclarent..., on cite..., estiment.

7. Chez vous, célèbre-t-on la fête des Mères ? Pensez-vous que cela soit une bonne chose ? Quels sont les mots qui vous viennent à l'esprit quand vous pensez à votre mère ? Pensez-vous que, pour une femme, avoir des enfants est : — indispensable ? — souhaitable ? — peu souhaitable ? — pas souhaitable du tout ?

8. Aux lectrices de ce magazine féminin dont beaucoup sont mères de famille.

9. L'exploitation commerciale de la fête des Mères.

3. CINÉ-MUSIQUE

1. Cinéma : Festival de Cannes et fête du cinéma ; musique : fête de la musique.

2. 4 juin : fête du cinéma ; 21 juin : fête de la musique ; pendant 12 jours au mois de mai : Festival de Cannes.

3. Depuis 1982.

4. On a la possibilité de voir cinq films pour le prix d'un dans plusieurs salles différentes.

5. Il est journaliste (« il faut écrire ou téléphoner... »), on peut penser qu'il s'agit d'articles.

6. Fête de la Musique et Faites de la musique : avec ces deux phrases qui se prononcent exactement de la même façon, on annonce la fête et on encourage tout le monde à faire de la musique, ce qui est l'objectif premier de cette fête.

7. Doc. 3 : où, dans, dans les, dans. Doc. 6 : dans, dans le, à, de, au, à, en, dans, à.

8. a 3, b 1, c 2, d 4.

12. Cinéma + maboul (qui signifie fou).

4. PANIQUE ET TRAC

1. Le mieux : doc. 3 et 5 ; le moins bien : doc. 1.

2. Complémentaires.

3. 1, c ; 2, e ; 3, d ; 4, f ; 5, a ; 6, b.

4. Le père menace le fils d'être responsable du suicide de sa mère s'il n'obtient pas une mention au baccalauréat. Un titre possible est « Chantage ».

5. c et f.

6. b et e par des filles (lancéE et LA premièrE) ; pour les autres rien ne l'indique.

7. Tic-tac : c'est le bruit d'une montre ou d'un réveil mécanique ; zigzag : virage très accentué ; bric-à-brac : endroit où l'on trouve toutes sortes de choses en désordre ; comme ci, comme ça : un peu oui, un peu non.

8. Dans l'ordre du texte : en mai-juin, en juillet, en décembre-janvier, en mai.

9. Le footballeur Michel Platini, par exemple.

5. TÉLÉSPORTS

1. Doc. 2.

2. Doc. 3.

3. a) à Paris car on voit l'Arc de Triomphe au bout des Champs-Élysées ; b) effrayé car il transpire, il semble se cacher et il cite Tchernobyl.

4. La télévision.

5. Rude bataille à prévoir, pour les beaux yeux de la princesse, pour les virtuoses et les chanceux, ... seront-ils encore... ?, le match le plus facile, imposeront probablement.

6. Un « Français moyen » ; pour lui, le sport est plus important que la politique.

9. Re (préfixe de répétition) + père.

JUILLET • AOÛT

1. EN ROUTE

1. Dans l'ordre des documents : énervement, bouchons, départs concentrés au même moment, conduite « macho », alcool, vitesse, absence de ceinture de sécurité ou de casque pour les motocyclistes.

2. *Cf.* lexique.

3. Doc. 4 : c ; doc. 5 : c et e ; doc. 6 : a et d.

4. A : b ; B : b.

5. Quand on propose quelque chose à boire à quelqu'un que l'on tutoie. On utilise le verbe prendre dans les expressions « prendre un verre » et « prendre le volant ».

8. Pou (insecte parasite) + laid ; poulet et flic sont des mots familiers pour policier. De plus, on dit de quelqu'un qui est laid qu'il est « laid comme un pou ».

2. COMPTES DE VACANCES

2. § 1f : « Les vacances... qui paraît si court sitôt vécu. » ; § 2e : « Les vacances... (759 millions). » ; § 3a : « La grande transhumance... ou en montagne. » ; § 4c : « Logiquement... S'en étonnera pas ? » ; § 5b : « Ce sont les cadres... le plus longtemps. » ; § 6d : « La destination... mode de vie. ».

3. L. 29-32.

5. Les enfants dont l'âge est inférieur à 13 ans ; les classes dont le nombre d'élèves est inférieur à 30 ; les personnes dont le poids est supérieur à 70 kg ; les personnes dont le salaire mensuel est inférieur à 10 000 F.

3. 14 JUILLET

1. Le défilé militaire, les bals, les feux d'artifice et les pétards.

2. Un défilé non militaire, « La Marseillaise » et l'interprétation de l'hymne national par la cantatrice américaine Jessye Norman.

3. b).

4. Le défilé-spectacle de J.-P. Goude et l'hymne national français.

8. La tour Eiffel, l'Arc de Triomphe, la place de la Concorde et les Champs-Élysées.

9. Accornéon = accordéon + néon ; défilaid = défilé + laid.

4. LE TOUR DE FRANCE

2. 50 millions.

4. Sur les Champs Élysées à Paris.

5. a) Il s'était fait remorquer par une voiture ; b) Eugène Christophe.

6. En 1911, Duboc est empoisonné et en 1967, Tom Simpson meurt victime du dopage.

7. Le créateur du Tour de France était aussi propriétaire du journal sportif « L'auto » dont les pages étaient jaunes ; il eut l'idée du maillot jaune.

9. Celles de la Première Guerre mondiale.

10. Elle flatte les amateurs de cyclisme en montrant que le président de la République est des leurs.
Pédalgogue = pédale + pédagogue.

5. POUR NE PAS BRONZER IDIOT

1. Le cinéma.

2. Oui.

3. Tradition, c'est devenu...

4. Encourager ses lecteurs à avoir des activités culturelles pendant leurs vacances.

5. Les Français, ne pouvant pas faire le pont, étaient moins nombreux sur les routes.

6. 62 150 – 34 450 = 27 700.

7. c.

8. Non, car beaucoup sont en vacances.

9. b.

10. Toutriste = touriste + triste.

SEPTEMBRE • OCTOBRE

1. QUAND VIENT LA FIN DE L'ÉTÉ

1. Doc. 2.

2. Dans l'ordre : d'abord, ensuite, jamais, puis, enfin, plus, rien.

3. Les derniers mots.

4. c.

5. 1 : E ; 2 : C ; 3 : B ; 4 : D ; 5 : A.

6. Deux : les bourses et la gratuité des manuels.

7. c.

8. a, frein ; b, coude ; c, volant ; d, poing ; e, main.

2. LA RENTRÉE DES CLASSES

2. Non car il ne s'agit pas d'une loi, mais seulement d'une recommandation.

3. L'auteur, Annie Ernaux, est aussi la narratrice, elle raconte à la première personne ; « il » désigne son père.

6. Le doc. 2 indique qu'après 16 ans, l'école n'est plus obligatoire ; elle l'est à partir de 6 ans mais il ne l'indique pas.

3. L'ÉCOLE

1. L'inégalité des chances.

3. Les laissés-pour-compte : ceux dont on ne s'occupe pas ; clouer tout le monde au poteau : dépasser tout le monde, arriver en tête, d'une course par exemple.

4. La première ne dépend pas de l'école.

5. c.

4. PARENTS D'ÉLÈVES

1. Un seul document.

2. a) épanoui, envie de progresser ; b) affection, attention.

3. 1, G ; 2, J ; 3, E ; 4, I ; 5, C ; 6, A ; 7, F ; 8, D ; 9, B ; 10, H.

4. Les dix commandements qui évoquent la Bible et « ingrédients ».

8. Les inégalités entraînées par le rôle que joue l'origine socioprofessionnelle des parents : ceux-ci doivent disposer de temps et d'un niveau d'instruction suffisant pour pouvoir aider leurs enfants.

5. PLAISIRS D'AUTOMNE

1. Non.

2. L'attrait de la nature, gagner un peu d'argent et occuper une semaine libre.

3. Non, car on y voit la tour Eiffel qui en situe le lieu.

4. Par le fait que la plupart des Français en âge de conduire sont également des conducteurs.

6. a) car elle correspond à peu près aux réponses du sondage.

7. a).

NOVEMBRE • DÉCEMBRE

1. LA TOUSSAINT

1. Le vent.

2. Seul le 1er novembre est férié.

4. Bruits : sanglots, violons ; la saison : automne, vent, feuille morte ; le temps qui passe : sonne l'heure, qui m'emporte.

6. Même versification que la première strophe.

7. Aller au cimetière et fleurir les tombes.

8. Les chrysanthèmes.

2. SOUVENIR

1. C'est un jour férié ; les personnalités de chaque ville vont fleurir le monument aux morts des guerres de 1914-1918 et de 1940-1945.

2. La Grande Guerre.

3. a, 2 ; b et c, 3 ; d, 1.

4. « Sous les ovations de la foule ».

5. Le maire et les personnalités locales, les écoliers, des groupes de musique, des habitants de cette ville.

6. Le 11 novembre 1918 ; Alphonse Dumouchet qui veut l'épouser.

3. DISTRIBUTION DES PRIX

2. Non, « j'avais déjà un public d'une fidélité remarquable ».

3. Il est de culture arabe ; de Tanger, au Maroc.

4. Non, il pensait que l'arabe était fait pour communiquer dans la rue et le français pour la création littéraire.

5. Par exemple : critères.

8. Le prix Nobel de littérature.

4. ET POUR VOUS, NOËL ?

2. Au début du texte.

3. Dans l'ordre : h, e, d, f, a, b, g, c.

4. 1) vêtements et maroquinerie, 2) jouets, 3) argent liquide, 4) objets de décoration, 5) mobilier.

5. b) est vrai.

6. Intrigue : a) ; berlue : c) ; bon ménage : b).

7. « Tu aimes ça, toi, les chocolats ? »

5. SACRÉ PÈRE NOËL

1. Les employés des P.T.T. écrivent aux enfants.

2. Il s'agit de bulletins d'abonnement à des conditions spéciales, dans un but de publicité ; doc. 3 : « parrainage », il faut indiquer le nom et l'adresse de la personne à qui l'on veut faire cadeau d'un abonnement ; doc. 2 : le lecteur écrit ses propres coordonnées puisque l'abonnement est pour lui.

3. Ironique.

4. c et e.

5. Il est difficile de choisir des cadeaux adaptés pour tout le monde ; comme c'est une obligation cela peut devenir une corvée.

6. Exemple : qu'est-ce qui se pose sur la table, se coupe et ne se mange pas ? les cartes à jouer.

7. Plutôt un homme jeune et célibataire car il ne mentionne pas sa femme et ses parents sont tous les deux en vie.

6. NOËL À BOIRE ET À MANGER

1. Dans l'ordre : Deauville, La Baule, Cannes, Pointe-à-Pitre, Amiens.

2. Une prévision.

3. 1 : Cannes ; 2. La Baule ; 3 : Pointe-à-Pitre ; 4 : Deauville ; 5 : Cannes.

4. 1 : a, k, l, h ; 2 : c ; 3 : g ; 4 : c ; 5 : e, f, l ; 6 : i, a, k, l, h ; 7 : d, b, g ; 8 : c ; 9 : i ; 10 : j ; 11 : e, f ; 12 : i.

6. En France : passer sous une échelle ; ouvrir un parapluie dans une maison ; poser le pain à l'envers ; ... etc.

7. CONTE DE NOËL

1. La Mère Noël.

2. Exemples de titres possibles : 1 : Tradition, 2 : Révolte, 3 : Le moment est venu !, 4 : À l'action !, 5 : Mission accomplie !

3. J'ai raté le train. Ce dessin est raté.

4. « Son » devient « le » ou « la ».

5. Entre les lignes 89 et 90.

6. Il est écrit comme un poème, les rimes facilitent l'écoute aux enfants.

INDEX DES TYPES DE DOCUMENTS

INDEX DES ÉLÉMENTS DE CIVILISATION

A • B

C • D

E • F

G • H

I • J

K • L

M • N

O • P

Q • R • S

T • U • V • W X • Y • Z

LEXIQUE

Accordéon (un) : L'accordéon est un instrument de musique à soufflet. En France, l'accordéoniste est encore un personnage important des fêtes populaires traditionnelles.

A.F.P. (l') : L'Agence France Presse est l'une des cinq grandes agences de presse dans le monde. Le rôle des agences de presse est de centraliser les nouvelles et de les transmettre aux journaux.

Agneau pascal (un) : Dans la Pâques juive, on sacrifie un agneau en souvenir de la sortie d'Égypte ; dans la religion catholique, il commémore le sacrifice du Christ, appelé dans les textes agneau de Dieu. L'agneau fait partie du repas traditionnel du jour de Pâques.

Ajar (Émile) : né en 1914, il se suicide en 1980. C'est sous ce pseudonyme que Romain Gary publie plusieurs romans. C'est une supercherie littéraire restée célèbre.

Alsace : L'Alsace est une région de France qui correspond administrativement aux départements du Bas-Rhin (67) et du Haut-Rhin (68). Voir p. 95.

Apollinaire (Guillaume) : Poète français (1880-1918). L'un des premiers représentants de la poésie moderne. Ses principaux recueils de poèmes : « Alcools » (1913), « Calligrammes » (1918).

Architecture (une) : Les Grands Travaux de l'État inaugurés de 1985 à 1989 sont : l'Arche de la Défense, conçue par l'architecte Johan Otto von Spreckelsen et inaugurée le 18 juillet 1989 ; la Géode, la Grande Halle de la Villette (1985) ; la Cité des sciences et de l'industrie, le musée d'Orsay (1986) ; l'Institut du Monde Arabe (1987), la pyramide du Louvre, le ministère des Finances, l'Opéra de la Bastille (1989).

Arlésien : Habitant d'Arles (50 772 habitants), ville du département des Bouches-du-Rhône (13). Ancienne cité romaine, la ville a conservé de magnifiques arènes et un théâtre antique.

Ascension (l') : L'ascension est l'action de s'élever : on fait l'ascension d'une montagne.
Dans le culte catholique le Christ ressuscité s'est élevé dans les airs de la terre jusqu'au ciel ; la fête de l'Ascension commémore cet événement. L'Ascension est un jour férié.

Astérix : Personnage principal de la B.D. du même nom, créé par Goscinny et Uderzo. Avec ses compagnons Obélix et Idéfix, il est connu de tous les Français.

Bastille - Richelieu-Drouot : C'est l'un des circuits traditionnels des manifestations parisiennes.

de Beauvoir (Simone) : (1908-1986.) En 1949, elle a écrit un essai dont les idées se retrouvent dans le mouvement féministe des années 70 : *Le Deuxième Sexe*. Auteur de nombreux romans, elle a formé avec le philosophe Jean-Paul Sartre un couple célèbre qui a fortement marqué, par ses écrits et ses engagements, la vie intellectuelle française.

Beck (Béatrix) : Née en 1914, elle est de nationalité belge.

Bison Futé : Tous les Français connaissent ce personnage imaginaire. Le ministère de l'Équipement utilise cet Indien malin et sympathique pour informer, prévenir, conseiller et guider les automobilistes dans le but d'éviter les bouchons et de diminuer les risques d'accident.

Bobo : Dans le langage des petits enfants, « avoir bobo », « se faire bobo » signifie avoir mal, se faire mal.

Boîte (une) : Une boîte (de nuit) est un endroit où l'on danse et où l'on boit de l'alcool. « Aller en boîte » signifie passer la soirée dans un de ces endroits.

Boudin blanc (le) : Ressemble à de la saucisse remplie de viande de volaille (poulet, canard, dinde...). C'est un plat traditionnel du réveillon.

Boum (une) : C'est une fête que les jeunes organisent chez l'un d'entre eux et où ils dansent.

Cabu : Auteur de bandes dessinées de la même génération que Wolinski. Il est aussi célèbre que lui.

Caisse d'allocation maladie (la) : C'est l'un des organismes de la Sécurité sociale. C'est là que les assurés sociaux peuvent se faire rembourser, immédiatement et en liquide, leurs frais médicaux ; la plupart, cependant, ne se déplacent pas et reçoivent les remboursements, au bout de quelques semaines, directement sur leur compte bancaire.
Le système de protection sociale s'est progressivement développé depuis son origine (en 1898) et couvre actuellement la totalité de la population.

Caisse d'épargne (la) : L'argent que l'on épargne est celui que l'on met de côté pour ne pas le dépenser immédiatement. Les Caisses d'épargne sont des établissements publics qui reçoivent les dépôts des épargnants, à qui sont versés des intérêts. L'emblème de la Caisse d'épargne est un écureuil, petit animal qui fait ses provisions de nourriture pour l'hiver. L'Écureuil est aussi connu des Français que Bison Futé.

Carême : Période de 46 jours de privation entre le Mardi gras et le jour de Pâques pendant laquelle, à l'exception des dimanches, certains chrétiens jeûnent.

C.G.T. (la) : La Confédération générale du travail, l'un des principaux syndicats de travailleurs. Les autres étant :
C.F.D.T. (la) : Confédération française démocratique du travail.
F.O. : Force ouvrière.
C.F.T.C. (la) : Confédération française des travailleurs chrétiens.
C.G.C. (la) : Confédération générale des cadres.

Champs-Élysées (les) : C'est la grande avenue parisienne qui relie la place de la Concorde à l'Arc de Triomphe. Le palais du Président de la République est situé près de cette avenue.

Charles d'Orléans : Poète français (1394-1465). Son fils deviendra roi de France en 1498 (Louis XII).

Charles-Roux (Edmonde) : Née en 1920, elle a écrit plusieurs romans dont « Elle, Adrienne » (1981).

Charlot : Il porte un chapeau melon, une canne et il marche « en canard ». C'est Charlie Chaplin, acteur et cinéaste d'origine anglaise (1889-1977), qui a créé ce personnage. Charlot est l'une des figures les plus célèbres de l'histoire du cinéma.

Cheminée (la) : Dans la tradition, le Père Noël entre dans les maisons en passant par le conduit de la cheminée.

Clemenceau Georges : Il était président du Conseil en 1917 et lutta avec énergie pour la poursuite de la Grande Guerre jusqu'à la victoire de 1918. On l'avait surnommé « le Tigre ».

Cloche (une) : Terme familier qui désigne une personne stupide, sotte, incapable. « Quelle cloche !»

C.N.P.F. : Le Conseil national du patronat français regroupe plus d'un million d'entreprises qu'il représente auprès des pouvoirs publics, des syndicats et de l'opinion.

Concorde (le) : Avion supersonique (volant à une vitesse supérieure à celle du son) franco-anglais, mis en service en 1976.

Congés payés : Les congés payés sont passés de 2 semaines en 1936, à 3 semaines en 1956, 4 en 1961 et 5 semaines en 1981. La cinquième semaine ne peut être prise à la suite des quatre autres. Le temps de travail hebdomadaire est actuellement de 39 heures.

Coq (le) : Le rapprochement entre coq et Gaulois se serait fait à partir du mot latin *gallus* qui signifie l'un et l'autre. Le coq est devenu un des emblèmes nationaux de la France pendant la Révolution. Il orne le revers des pièces d'or frappées à partir de 1899.

Coureuse (du Tour de France) : Le Tour de France dames a été créé en 1984.

Crèche (la) : La crèche est une petite construction de bois, en plâtre ou en carton qui représente l'étable de Bethléem où est né le Christ. À côté du sapin décoré, beaucoup de Français installent la crèche et les santons.

C.R.S. (Compagnies républicaines de sécurité) : Forces mobiles de police chargées du maintien de l'ordre.

C.S.P. (Catégories socio-professionnelles) : Ces catégories permettent de classer la population en fonction de certaines caractéristiques sociales communes aux membres de chacune d'elles. Elles sont utilisées dans la presse, les sondages et les statistiques officielles.
Dans la catégorie des « Cadres et professions intellectuelles supérieures » on trouve les médecins, les avocats, les architectes, les professeurs d'université et de lycées, les cadres d'entreprises et de la fonction publique ;
Dans la catégorie des « Professions intermédiaires » on trouve les instituteurs, les techniciens et les contremaîtres.

Répartition de la population active occupée selon la catégorie socioprofessionnelle (%)

	1987		1968	
	Total	dont femmes	Total	dont femmes
Agriculteurs exploitants	6,4	5,7	11,5	12,8
Artisans, commerçants et chefs d'entreprise	8,0	6,7	10,7	11,5
Cadres et professions intellectuelles supérieures	9,9	6,5	5,1	2,5
Professions intermédiaires	20,2	20,1	10,4	11,4
Employés	26,7	47,7	21,2	
Ouvriers	28,8	13,3		
Autres catégories (pour 1968)	—	—	1,8	0,5
	100 %	100 %	100 %	100 %
Effectifs (en milliers)	21 405	8 982	19 916	7 208

Francoscopie 1989.

Curtis (Jean-Louis) : Né en 1917, il a écrit de nombreux romans dont « Un jeune couple », « Une éducation d'écrivain ».

Davy Crockett : Personnage légendaire de l'histoire des États-Unis. Chasseur de bêtes à fourrure, sa silhouette est familière grâce à de nombreux films et bandes dessinées où il est toujours représenté avec son chapeau de trappeur et son fusil. Le refrain d'une chanson populaire dit de lui « Davy Crockett, l'homme qui n'a jamais peur ».

Deauville : Station balnéaire du département du Calvados (14). Sa plage, ses hôtels luxueux datant pour la plupart du début du siècle et son casino où l'on joue de l'argent, en font une station chic et chère.

Desnos (Robert) : (1900-1945.) Après avoir participé au mouvement surréaliste, il laisse libre cours à son humour et à sa fantaisie. Il est mort en camp de concentration.

Dinde (la) : Comme le poulet, c'est un oiseau d'élevage. Un des plats traditionnels du réveillon.

Distributeur automatique (un) : À condition d'être en possession d'une carte de crédit (la plus courante en France étant la carte VISA, dite « carte bleue »), on peut retirer de l'argent liquide dans l'un des nombreux distributeurs automatiques, y compris en dehors des heures et des jours d'ouverture des banques. Ils sont installés à l'extérieur des banques.

Duras (Marguerite) : Née en 1914, elle a écrit des romans (« Un barrage contre le Pacifique », 1950, « Moderato Cantabile », 1958), des pièces de théâtre (« Des journées entières dans les arbres », 1966), des scénarios (« Hiroshima mon amour », 1960) et réalise des films (« India Song », 1973).

Éclater (s') : Mot familier signifiant s'amuser beaucoup.

Élysée : L'Élysée, c'est le nom de la résidence du président de la République. Souvent, comme dans ce document, l'Élysée désigne le Président lui-même.

Encens et Myrrhe : Résines odorantes très appréciées en Orient. L'encens est toujours brûlé à l'église au cours des cérémonies. « Encenser quelqu'un » signifie lui faire beaucoup de compliments.

Été : Le système de l'heure d'été consiste à avancer d'une heure les pendules par rapport à l'heure d'hiver. Les changements ont lieu l'un des derniers dimanches de mars et de septembre.
Cette mesure permet d'économiser de l'énergie en faisant mieux correspondre les heures de travail avec les heures de lumière naturelle.

F.C.P.E. (la) : C'est la plus importante des associations de parents d'élèves : 50,86 % des voix en 1984 aux élections des délégués des parents. Ensuite viennent la P.E.E.P. (Fédération des parents d'élèves de l'enseignement public) avec 31 % des voix. Puis l'U.N.A.A.P.E. (Union nationale des associations autonomes de parents d'élèves) avec 3,9 %. Et enfin, l'U.N.A.P.E.L. (Union nationale des associations de parents d'élèves de l'enseignement libre) : résultats non connus.

Férié : Un jour férié est un jour où l'on ne travaille pas à l'occasion d'une fête civile ou religieuse légale. En France ce sont les dimanches et les 11 dates signalées par les calendriers. Le 1er Mai est le seul jour férié pour lequel le repos est légalement obligatoire.

Fête : La plupart des noms du calendrier ont pour origine un saint de l'Église catholique. La tradition veut que l'on souhaite une « bonne fête » aux personnes de son entourage qui portent le nom du Saint du jour.

Fève : Depuis le XIXe siècle, la fève, qui est un légume sec, a été remplacée par toutes sortes de petits objets en porcelaine puis en plastique dont on trouve des collectionneurs.

Filleul : voir parrain.

Flonflons : Ce sont les accords bruyants de certains morceaux de musique populaire.

Foie gras (le) : Le foie gras est une préparation de foie de canard ou d'oie.

Foirer (familier) : contraire de réussir.

Gary (Romain) : voir Émile Ajar.

Goncourt : C'est le plus prestigieux des prix littéraires français. Il existe depuis 1903. Il assure à ses lauréats un grand nombre de ventes et une notoriété parfois passagère.

Gracq (Julien) : Né en 1910. Parmi ses romans, citons « Un balcon en forêt » (1938) et « Les Eaux étroites » (1976). En 1951, il avait annoncé qu'il refuserait le prix Goncourt mais le jury, ne le croyant pas, l'avait tout de même élu au premier tour.

Gui (le) : Plante qui vit en parasite dans certains arbres. On accroche au plafond une boule de gui, la nuit du Nouvel An. C'est un porte-bonheur.

Ile-de-France : Ancienne région historique de la France qui englobe tous les départements actuels de la région parisienne et une partie des départements de l'Oise (60), de l'Aisne (02) et de la Marne (51). Voir carte.

I.N.S.E.E. (l') : L'Institut national de la statistique et des études économiques dépend du ministère de l'Économie et des Finances.

Internationale (l') : L'Association internationale des travailleurs (A.I.T.) se réunit pour la première fois à Londres en 1864.

Invalides : L'église Saint-Louis-des-Invalides contient le tombeau de Napoléon ainsi que la sépulture de plusieurs autres grands soldats.

Job (le) : Nom familier pour emploi, profession.

La Baule : Grande station balnéaire dans le département de la Loire-Atlantique (44).

Laurent (Jacques) : Né en 1919, il a écrit de nombreux romans sous le nom de Cécil Saint-Laurent dont : « Caroline chérie » (1947), « Les Mutants » (1978).

Libations (les) : Faire de grandes libations signifie boire abondamment.

Ligne (la) : La ligne est le fil auquel on accroche un hameçon que l'on met dans l'eau pour attraper des poissons (la pêche à la ligne).
Dans le langage familier, « avoir la ligne » signifie être mince, « garder la ligne » signifie donc rester mince.

Lire : Magazine mensuel dont le rédacteur en chef est aussi l'animateur d'une émission de télévision très célèbre (« Apostrophes ») au cours de laquelle il invite et interviewe des écrivains.

Loto (le) : Le Loto national est un jeu de hasard institué en France en 1976. Le joueur coche 6 numéros parmi les 49 qui se trouvent sur chaque grille de chaque bulletin. Les numéros sont tirés au sort. Le gros lot peut atteindre 10 à 12 millions de francs. En 1984, le Loto national a enregistré 15 481 424 bulletins joués.

Macho : Une attitude macho est celle d'un homme qui croit à sa supériorité parce qu'il est un « mâle ».
En voiture, le fait de rouler vite, de ne pas se laisser doubler et de prendre des risques est encore parfois considéré comme une preuve de force, de courage et de virilité.

Magasins : Ceux que l'on appelle les Grands Magasins parisiens sont les Galeries Lafayette et le Printemps, situés dans le quartier de l'Opéra, et le Bon Marché, situé dans la partie sud du 6e arrondissement.

Manchette (la) : C'est le titre en gros caractères et en première page d'un journal. « Cet événement a fait la manchette de tous les journaux. »

de Mandiargues (André Pieyre) : Romancier né en 1909 influencé par le surréalisme. Auteur, entre autres de « La Marge ».

Marceau (Félicien) : Né en 1913, il a écrit également des pièces de théâtre.

Marmandais : Habitant de Marmande (18 000 habitants). Ville du Lot-et-Garonne (47) dans le Sud-Ouest de la France.

Massif (un) : Les 5 massifs montagneux français sont les Alpes, le Jura, les Vosges, le Massif Central et les Pyrénées.

Mention (la) : Au baccalauréat, un candidat obtient la mention « bien » à partir de 12 de moyenne et la mention « très bien » à partir de 16.
Les mentions sont exigées pour s'inscrire dans certaines disciplines universitaires et dans certaines écoles supérieures.

Merle (Robert) : Né en 1908, il a écrit de nombreux romans. « Week-end à Zuydcoote » a été porté à l'écran par Henri Verneuil en 1964.

Midi : « Chacun voit midi à sa porte », dicton populaire signifiant que chacun adopte un point de vue, une opinion, en fonction de ses propres problèmes.

Modiano (Patrick) : Né en 1947. Parmi ses romans : « Les Boulevards de ceinture » (1977), « Une jeunesse » (1981).

Mot-valise : C'est la combinaison de deux mots pour donner un troisième mot imaginaire dont le sens emprunte aux deux premiers. C'est un jeu qui peut être très drôle ! Pour en comprendre l'humour, il faut « ouvrir » le mot-valise — comme on ouvre une valise — pour voir ce qu'il contient.

Mundial (le) : On l'appelle le Mundial parce que la coupe du monde de football a eu lieu deux fois de suite dans des pays hispanophones (Espagne, Mexique).

Noël : La fête de Noël commémore la naissance du Christ dont la date exacte n'est pas indiquée dans les écritures. En l'an 440, l'Église d'Occident a fixé le 25 décembre. À cette période de l'année, à l'occasion du solstice d'hiver (jour le plus court de l'année), les gens avaient déjà l'habitude de faire une fête pour appeler le soleil à renaître.
Les communautés chrétiennes d'Orient ont fixé le 7 janvier.

Païen : Désigne les personnes ou les traditions qui n'appartiennent pas aux trois religions monothéistes que sont le christianisme, le judaïsme et l'islamisme. Le paganisme désigne les pratiques païennes.

Palme d'or : Créé le 20 novembre 1946, le Festival international du film de Cannes est organisé chaque année, en mai. (La création d'un festival international à Cannes fut décidée en 1939 : la manifestation, qui devait être présidée par Louis Lumière, fut fixée au 1er septembre, mais la déclaration de guerre, au même moment, mit fin de facto au projet.)
Principaux prix : Palme d'or (créée en 1955) ; prix spécial du jury ; prix d'interprétation masculine et féminine ; prix de la mise en scène ; Caméra d'or.
Palmarès (grand prix puis Palme d'or) :
1979 *le Tambour,* de V. Schlöndorff (R.F.A.) et *Apocalypse Now,* de F.F. Coppola (É.-U.).
1980 *Kagemusha,* de Kurosawa (Jap.) et *All That Jazz,* de B. Fosse (É.-U.).
1981 *l'Homme de fer,* de A. Wajda (Pol.).
1982 *Yol,* de Y. Güney (Turquie) et *Missing* de Costa-Gavras (É.-U.).
1983 *la Ballade de Narayama,* de Imamura (Jap.).
1984 *Paris, Texas,* de W. Wenders (É.-U.).
1985 *Papa est en voyage d'affaires,* de E. Kusturica (Youg.).
1986 *Mission,* de R. Joffé (G.-B.).
1987 *Sous le soleil de Satan,* de M. Pialat (Fr.).
1988 *Pelle le Conquérant,* de B. August (Dan.).
1989 *Sexe, mensonge et vidéo,* de Steven Soderbergh (É.-U.).
Mémo-Larousse.

Pâques : La date de Pâques en 1986 était le 30 mars et en 1987 le 19 avril.

Paris-Dakar (le) : Le rallye Paris-Dakar, créé en 1979, est une course d'environ 12 000 km. Trois catégories de véhicules y participent : auto, camion, moto.

Parrain, marraine : Dans la religion catholique, le parrain et la marraine présentent l'enfant au baptême. Cet enfant devient leur filleul ou filleule.

Par extension, on appelle parrain celui qui fait entrer quelqu'un dans un groupe plus ou moins fermé : un club, une société et... la mafia.

Pentecôte (la) : Cette fête chrétienne commémore la descente du Saint-Esprit sur les Apôtres (compagnons de Jésus).

Pétain : Le maréchal Pétain, commandant en chef des forces françaises en 1917, parvient à conduire l'armée française à la victoire de 1918.
En 1940, à l'âge de 84 ans, il devient chef de l'État français et s'engage rapidement dans la voie de la collaboration avec l'occupant allemand. Son nom reste plutôt lié à cette dernière période.

Petits : « Les petits ». Roger Couderc, célèbre journaliste sportif des années 60 et 70, parlait ainsi des joueurs de l'équipe de France de rugby. Il avait avec eux une attitude familière, affectueuse, voire paternelle.

Pialat (Maurice) : Cinéaste français né en 1925. Parmi les films qu'il a réalisés : « Nous ne vieillirons pas ensemble » (1972), « La Gueule ouverte » (1974), « Loulou » (1980), et enfin « Sous le soleil de Satan » (1987), adaptation d'un roman de Georges Bernanos, film qui lui a valu la Palme d'or du Festival de Cannes.

Picardie (la) : Région du nord-ouest de la France. Voir la carte.

Plantu : Dessinateur humoristique très connu ; depuis plusieurs années, il illustre l'actualité en première page du journal *Le Monde*.

Poilu (« les poilus ») : Nom donné aux soldats de la guerre 14-18.

Pont : « Faire le pont » signifie prendre un ou deux jours de congés entre deux jours fériés.

Princesses : Caroline et Stéphanie de Monaco sont les filles de Rainier III, prince de Monaco, qui épousa en 1956 l'actrice américaine Grace Kelly (tuée en 1982 dans un accident de voiture).

Quinze Août : L'Assomption est une fête de la Vierge. Dans le dogme catholique, après sa mort, son corps s'est élevé vers le ciel.

Rameaux : Cette fête chrétienne commémore l'accueil triomphal fait à Jésus entrant à Jérusalem.

Rappeneau (Jean-Paul) : Scénariste et réalisateur français né en 1932. Il a réalisé : « La Vie de château » (1966), « Les Mariés de l'an II » (1971), « Tout feu, tout flamme » (1982) et « Cyrano de Bergerac » (1990).

R.A.T.P. (la) : La Régie autonome des transports parisiens a le monopole des transports collectifs de Paris et sa banlieue : métro, autobus et R.E.R. (Réseau express régional).
La première ligne du métro parisien a été ouverte en 1900. Le carnet de 10 tickets en 2e classe coûtait 31,20 F en 1990.

Rencontré : « Le Père Noël existe, je l'ai rencontré » est un pastiche du titre d'un livre d'André Frossard, « Dieu existe, je l'ai rencontré », paru en 1968 après la conversion au catholicisme de son auteur, journaliste connu.

Réveillon (le) : Désigne un repas que l'on prend tard le soir. En France, on réveillonne la nuit de Noël et la veille du Jour de l'An.

Riviera (la) : C'est le nom du littoral italien du golfe de Gênes. Il est parfois étendu à la Côte d'Azur française, surtout entre Nice et la frontière italienne.

Roland-Garros : Le stade porte le nom d'un sportif français et premier pilote à avoir traversé la mer Méditerranée en avion, en 1913.
Au cours d'un combat aérien, il est tué le 5 octobre 1918, quelques jours avant la fin de la Première Guerre mondiale.

Rome : C'est la capitale de l'Italie mais c'est aussi la ville où se trouve le Vatican (voir Vatican). La tradition veut que les cloches de toutes les églises partent à Rome le jeudi précédant Pâques, c'est-à-dire la veille de la mort du Christ, pour revenir le dimanche de Pâques. C'est durant ce retour qu'elles laissent tomber dans les jardins toutes sortes d'œufs et de poules en chocolat.

Sapin (le) : Le sapin fait partie des arbres qui restent verts toute l'année. C'est un symbole de vie.
Le sapin de Noël décoré de lumières et de guirlandes colorées fait partie du décor de Noël, dans tous les foyers. On dépose les cadeaux dans les souliers, au pied du sapin ou de la cheminée.

Schwarz-Bart (André) : Écrivain français ; son plus célèbre roman est « Le dernier des justes » de 1959.

Services (les) : Les services couvrent les activités économiques qui ne produisent pas des biens concrets : les banques, les compagnies d'assurance... ainsi que les organismes du Service public.

S.I.D.A. (le) (AIDS en anglais) : C'est une maladie due à un virus transmissible. Les épidémies, importantes sur tous les continents, mobilisent la recherche médicale mondiale.

Sirène (la) : C'est un être imaginaire ayant un corps de femme et une queue de poisson, dont le chant attirait les navigateurs vers le danger.

Slow (le) : C'est le nom d'une danse au rythme lent.

SOFRES : Institut privé de sondage.

Sou : Ancienne pièce de monnaie. Le mot est utilisé dans quelques expressions : être sans le sou, propre comme un sou neuf, etc.

Soulier : La veille de Noël, petits et grands déposent

une paire de chaussures au pied du sapin de Noël. Au retour de la messe de minuit, du réveillon ou le lendemain matin, ils y trouveront des cadeaux.

Stéphanois : Les Stéphanois sont les habitants de Saint-Étienne, 220 000 habitants, ville du département de la Loire (42). Saint-Étienne est connu pour ses industries textile, sidérurgique, métallurgique et mécanique, son ancienne manufacture française d'armes et de cycles, créée en 1885 et pour son club de football vainqueur, à plusieurs reprises, de la Coupe de France.

Système scolaire :

L'organisation des enseignements primaire et secondaire

	ÂGE MOYEN	CLASSES		
	18			
	17	TERMINALE	LYCÉES	
SCOLARITÉ OBLIGATOIRE	16	PREMIÈRE		LEP
	15	SECONDE		
	14	TROISIÈME	COLLÈGES	
	13	QUATRIÈME		
	12	CINQUIÈME		
	11	SIXIÈME		
	10	CM 2	ÉCOLES PRIMAIRES	
	9	CM 1		
	8	CE 2		
	7	CE 1		
	6	CP		
	5	GRANDS	ÉCOLES MATERNELLES	
	4	MOYENS		
	3	ENFANTS		
	2			

Source : Ministère de l'Éducation.

Tchernobyl : En avril 1985, survient un accident dans la centrale nucléaire de Tchernobyl, ville d'U.R.S.S. Un nuage radio-actif survole la région et une bonne partie de l'Europe. Cet accident relance le débat sur les dangers de l'énergie nucléaire.

Teresa (mère Teresa) : C'est une religieuse connue pour l'aide humanitaire qu'elle apporte dans certaines régions du tiers monde.

TF1 : L'une des plus anciennes chaînes de télévision ; elle a été privatisée en 1986.

Tintin et Milou : Tintin est un détective, héros d'une bande dessinée créée en 1929 par le dessinateur belge Hergé. Avec celle de son chien Milou, sa silhouette est connue de tous les Français.
Hergé est un pseudonyme qui reprend les sons des initiales du véritable nom du dessinateur, Rémi George.

Tison : Le tison est un morceau de bois en partie brûlé et encore rouge. Passer Pâques au tison signifie donc être au coin du feu.

Tournier (Michel) : Né en 1924, il a écrit de nombreux romans dont « Vendredi ou les Limbes du Pacifique » (1967) et « Le Coq de bruyère » (1980).

Tri : Le centre de tri de Libourne, petite ville du département de la Gironde, est celui où les Postes et Télécommunications centralisent toutes les lettres adressées au Père Noël et... y répondent. La lettre de la page 78 en est un exemple authentique.

Vacances scolaires :
Le calendrier de 1990-1991
Rentrée scolaire : 10 septembre 1990.

Vacances de la Toussaint : du 25 octobre au 5 novembre sur la zone A et du 24 octobre au 5 novembre pour la zone B en 1990-1991.

Vacances de Noël : du 22 décembre au 3 janvier en 1990-1991.

Vacances d'hiver : du 14 février au 4 mars et du 21 février au 11 mars en 1990-1991.

Vacances de printemps : du 20 avril au 6 mai et du 27 avril au 13 mai. Les nombreux jours fériés de mai, fête du Travail, Ascension et Pentecôte ont été volontairement englobés dans ces vacances.

Vacances d'été : du 6 juillet au 9 septembre.

Vainqueurs : Les vainqueurs du Tour de France cycliste de ces dix dernières années sont : 1977 : Bernard Thevenet (Français) ; 1978-79-81-82 et 85 : Bernard Hinault (Français) ; 1980 : Joop Zoetemelk (Pays-Bas) ; 1983 et 1984 : Laurent Fignon (Français) ; 1986 : G. Lemond (États-Unis) ; 1987 : S. Roche (Irlande) ; 1988 : P. Delgado (Espagne) ; 1989 : G. Lemond (États-Unis).

Vanham (Jean-Louis) est un poète belge né en 1937. Ce poème est extrait d'un recueil paru en 1974 intitulé « Dans la lune ».

Verlaine (Paul) : Grand poète français né à Metz en 1844, mort en 1896.
La première strophe de « Chanson d'Automne », message codé, annonçait aux Français de la Résistance, le débarquement des forces alliées le 6 juin 1944 sur les plages de Normandie. La Seconde Guerre mondiale devait encore durer presque une année, jusqu'à la capitulation du 8 mai 1945.

Wolinski (Georges) : Dessinateur humoristique né en 1934, il fait partie des plus connus de sa génération. Il dessine régulièrement dans *Le Nouvel Observateur.*

Zorro : Personnage d'une bande dessinée de Hans Kresse (1964), il fut le héros de 65 films. C'est le défenseur des opprimés, le justicier : toujours masqué, il signe son passage de la lettre Z.

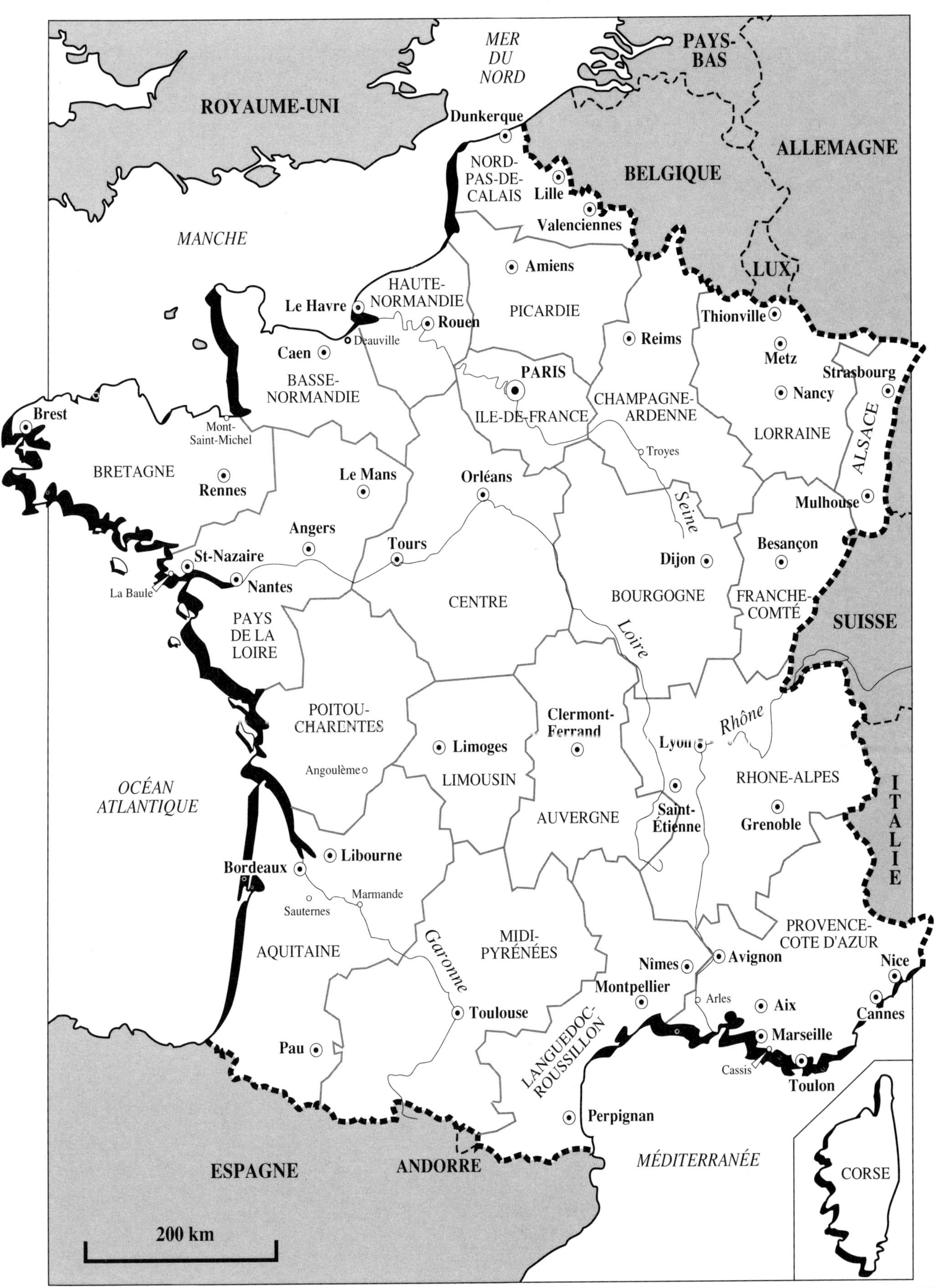

MER
DU
NORD
PAYS-
BAS
ROYAUME-UNI
Dunkerque
ALLEMAGNE
NORD-
PAS-DE-
CALAIS
Lille
BELGIQUE
Valenciennes
MANCHE
Amiens
LUX
HAUTE-
NORMANDIE
Le Havre
PICARDIE
Rouen
Thionville
Deauville
Caen
Reims
Metz
PARIS
Strasbourg
BASSE-
NORMANDIE
Nancy
Brest
ILE-DE-FRANCE
CHAMPAGNE-
ARDENNE
Mont-
Saint-Michel
LORRAINE
ALSACE
Troyes
BRETAGNE
Rennes
Le Mans
Orléans
Mulhouse
Seine
Angers
Tours
Besançon
St-Nazaire
Dijon
Nantes
La Baule
CENTRE
BOURGOGNE
FRANCHE-
COMTÉ
SUISSE
PAYS
DE LA
LOIRE
Loire
POITOU-
CHARENTES
Clermont-
Ferrand
Rhône
Limoges
Lyon
Angoulême
LIMOUSIN
RHONE-ALPES
OCÉAN
ATLANTIQUE
ITALIE
AUVERGNE
Saint-
Étienne
Grenoble
Libourne
Bordeaux
Marmande
Sauternes
PROVENCE-
COTE D'AZUR
Garonne
MIDI-
PYRÉNÉES
AQUITAINE
Avignon
Nîmes
Nice
Montpellier
Arles
Aix
Toulouse
Cannes
LANGUEDOC-
ROUSSILLON
Marseille
Pau
Cassis
Toulon
Perpignan
ESPAGNE
ANDORRE
MÉDITERRANÉE
CORSE
200 km

ILLUSTRATIONS : SOPHIE HÜE

ÉDITION : GILLES BRETON

CONCEPTION GRAPHIQUE, COUVERTURE ET MAQUETTE : MICHÈLE ROUGÉ

RECHERCHES ICONOGRAPHIQUES : ATELIER D'IMAGES

COORDINATION ARTISTIQUE : CATHERINE TASSEAU

FABRICATION : PIERRE DAVID

SOURCES PHOTOGRAPHIQUES

4-5 : Guignard ; **8G** : SYGMA/Guichard ; **9HG** : EXPLORER/Cheuva ; **9MG** : EXPLORER/Roy ; **9 MD** : ZEFA/Benser ; **9BG** : ZEFA/Mueller ; **9BD** : Charmet ; **10M** : BAYARD PRESSE-ASTRAPI/illustration de M. Berthommier ; **10B** : Cabu ; **11** : Warner Bros ; **13** : GAMMA/Simon ; **15** : Labat ; **16H** : EXPLORER/Cheuva ; **16M** : RAPHO/Serraillier ; **17** : RAPHO/Vieil ; **18B** : Charmet ; **19** : PRESSE-SPORT ; **20** : SCOPE/Guillard ; **21H** : Charmet ; **21MG** : RAPHO/Platard ; **21MD** : ZEFA/Stockmarket ; **21B** : Marco Polo-Bouillot ; **22** : RAPHO/Charles ; **23** : Charmet ; **24HD** : LOMBARD FRANCE ; **25** : MAGNUM/J.K. ; **26** : RAPHO/De Sazo ; **27** : RAPHO/Pavlovsky ; **28D** : BDDP ; **29** : NATHAN/Charmet ; **30HD** : BAYARD PRESSE/illustration J.-M. Ranard ; **31** : Dagli Orti ; **32H** : Zeaf/Oster ; **32B** : SYGMA/Bisson ; **33H** : SYGMA/Orban ; **33MG** : GAMMA SPORT/Behar ; **33MD** : Vandystadt/Guibbaud ; **33B** : SYGMA/Lafosse ; **34** : EXPLORER/Wolf ; **35** : PRESSE-SPORT ; **36H** : Charmet ; **36B** : ALBIN MICHEL ; **P. 37** : SYGMA/Keystone ; **38H** : CENAM ; **39** : PRESSE-SPORT ; **40H** : PRESSE-SPORT ; **40B** : NOUVEL OBSERVATEUR ; **42H** : Plantu ; **43** : Charmet ; **44G** : Dagli Orti ; **44D** : GAMMA/Husain ; **45H** : SYGMA/Keler ; **45M** : SYGMA/Watson ; **45BG** : SCOPE/Guillard ; **45BD** : SCOPE/Sierpinski ; **46** : PRÉVENTION ROUTIÈRE ; **47** : RUSH/Nieto ; **48** : ROGER-VIOLLET ; **49** : GAMMA/Fornaciari ; **50** : RAPHO/Winckler ; **51** : MUSÉE DE VIZILLE ; **53** : RAPHO/Charles ; **54G** : MURS, MURS, LE JOURNAL DES VILLES/Charmet ; **54HD** : Ph. Coqueux ; **54MD** : Ph. Coqueux ; **55** : RAPHO/Prunin ; **56** : SCOPE/Guillard ; **57H** : SCOPE/Sudres ; **57MG** : ASSEMBLÉE NATIONALE ; **57M** : NATHAN/Charmet ; **57MD** : JERRICAN/Berenguier ; **57B** : ZEFA/MUELLER ; **58D** : RAPHO/Mandelmann ; **59** : SYGMA/Bisson ; **60H** : RAPHO/Niepce ; **60M** : SYGMA/Pavlovsky ; **61** : ROGER-VIOLLET ; **62H** : REA/Benichou ; **63** : ROGER-VIOLLET ; **64** : Charmet ; **65** : Dejean ; **66** : MAGNUM/Frank ; **67** : MINISTÈRE DE LA CULTURE ; **68** : GALERIES LAFAYETTE ; **69H** : RAPHO/Tulane ; **69M** : JERRICAN/Davantes ; **69BG** : SCOPE/Barde ; **69BD** : EXPLORER ; **70G** : RAPHO/Michaud ; **70D** : Charmet ; **71** : MAGNUM/Cartier-Bresson ; **72H** : C. Charillon, Paris ; **72B** : MAIRIE DE MARMANDE ; **73** : Charmet ; **74H** : PARIS-MATCH/Deutsch ; **74B** : GAMMA/Merillon ; **77** : Charmet ; **78** : Charmet ; **79** : ZEFA/HPK STUDIO ; **80** : C. Charillon, Paris ; **81** : Serres ; **82** : BAYARD PRESSE/illustration M. Guiré Vaka ; **83** : Hergé, les aventures de Quick et Flupke ; **95** : Carte Jean-Pierre Magnier.

Les textes Info s'inspirent de « Mœurs et humeurs des Français au fil des saisons » de Ph. Besnard ÉDITIONS BALLAND. La plupart des mots-valises sont tirés de « Le distractionnaire » CLE INTERNATIONAL et de « Attention mot-valise » de A. Finkelkraut ÉDITIONS SEUIL.

COMPOSITION, PHOTOGRAVURE : MULTIPHOT

Aubin Imprimeur

LIGUGÉ, POITIERS

Achevé d'imprimer en septembre 1990
N° d'édition 05257200 / N° d'impression P 36135
Dépôt légal septembre 1990
Imprimé en France